D0228922

EN TOEN KWAM JIJ

Henny Thijssing-Boer

En toen kwam jij

ISBN 90-5977-011-0
NUR 344

Omslagillustratie: Jack Staller
Omslagbelettering: Van Soelen, Zwaag
ISSN 0923-134X

❀ 1 ❀

Louwina Kemkes wierp gehaast een snelle blik op de klok, ze zag dat het al tien uur was en besloot er even bij te gaan zitten. Ze was al vanaf vanochtend half zeven op de been en dat voelde ze. Een kop koffie zou er lekker invallen, even een rustpauze inlassen kon geen kwaad. Ze stond er helemaal alleen voor, ze moest bekennen dat het haar een beetje tegenviel. Toch was ze blij dat Marjet en Wout er een weekje tussenuit waren gegaan; Marjet vooral had behoefte aan rust gehad. Zij had in korte tijd net even te veel te verstouwen gekregen. Arme Marjet, ze had met haar te doen en het deed haar goed dat ze eindelijk eens iets voor haar weldoeners kon terugdoen. Drie maanden was ze nu al met haar dochtertje Carmen bij Wout en Marjet in huis. Ze was onzegbaar dankbaar voor de hulp, voor de goede zorgen waarmee ze hier voortdurend omringd werd, maar dat mocht ze niet meer hardop zeggen. Wout en Marjet vonden het allemaal heel gewoon, maar zij – Louwina – dacht daar anders over. Het drong hoe langer hoe meer tot haar door dat het zo niet almaar door kon gaan. Hoewel ze het liefst hier bij Wout en Marjet zou willen blijven, besefte ze maar al te goed dat zij het verleden achter zich moest laten. Ze moest zelfstandig verder en dat betekende dat ze werk moest gaan zoeken en woonruimte zodat ze voor zichzelf en Carmen kon zorgen. Gelukkig kon ze hier openlijk met Wout en Marjet over praten. Zij toonden alle begrip en kort voordat zij op vakantie gingen had Wout wat raadselachtig gezegd dat hij passende woonruimte voor haar op het oog had. Hij had er verder niets over willen loslaten, gezegd dat ze het zou horen zodra hij en Marjet terug waren. Hij had haar er behoorlijk nieuwsgierig mee gemaakt! Zij, op haar beurt, had voor hem verzwegen dat ze een baan op het oog had. Ze had toevallig gehoord dat de filiaalhouder van de supermarkt binnenkort iemand nodig had voor kantoorwerk, iemand die tevens bereid was om in de winkel bij te springen als hij dat nodig achtte. Het leek haar wel wat, des te meer omdat Marjet eens had gezegd dat áls zij, Louwina, ergens aan de slag kon komen, zij met liefde op Carmen zou willen passen. Wout en Marjet, ze waren soms gewoon te goed voor deze wereld, vond Louwina terwijl ze van haar kopje koffie genoot. Ze glimlachte vertederd toen ze zag dat Carmen in de box in slaap was gevallen. Ze kon haar beter even naar haar bedje brengen. Rust en slaap, daar moest zo'n klein vrouwtje van nog geen halfjaar oud het voornamelijk van hebben.

Carmen opende haar oogjes toen Louwina haar uit de box tilde, echt wakker werd ze echter niet. In haar bedje zocht ze haar duimpje en terwijl ze daar met vergenoegde smakgeluidjes op zoog, verkeerde ze alweer helemaal in dromenland. Louwina trok de deur van het kinderkamertje geruisloos achter zich dicht. Ze daalde de trap af en op het moment dat ze zichzelf een tweede kopje koffie beloofde, ging de bel van de voordeur over. „Wie mag dat zijn?" vroeg ze zich mompelend af. Ze trok de voordeur open en toen verbleekte ze van schrik en angst. Want aan de man, die ze nu met halfopen mond en vol ongeloof aanstaarde, dacht ze nog haast dagelijks. Met huiverende weerzin.

„Aan je gezicht te zien, had je me niet verwacht! Jou kennende laat je me echter niet voor de deur staan." Hij lachte niet alleen breed, maar stapte botweg naar binnen en sloot de deur achter zich. „Wat doen we: geven we elkaar een hand of wordt er gezoend?" De lach week niet van zijn gezicht, Louwina voelde zich volkomen overdonderd. Toch lukte het haar met inspanning van al haar krachten afstandelijk koel te zeggen: „Jij mag me met geen vinger aanraken, Anton Schuitema, knoop dat vooral goed in je oren!" Ze voelde dat ze van top tot teen beefde en hoopte vurig dat dat niet aan haar te zien was. In haar was een vraag die al het overige overheerste, ze stelde hem met een stem die niet van haar was. „Wat kom je doen, je hebt hier niets te zoeken..." Opgelaten en nerveus als ze was, liet ze er in één adem op volgen: „Je moet me met rust laten, dat is het enige wat ik van jou verlang. Het is het enige wat Wout Speelman van jou eist! Begrijp je wat ik hiermee bedoel...?" Ze had gehoopt dat ze hem met het noemen van Wouts naam zou intimideren, maar ze schrok toen ze hem hoorde zeggen: „Van jouw beschermheer heb ik niets te vrezen, hij is er samen met zijn vrouw een poosje tussenuit. Nietwaar?"

„Hoe... hoe wéét jij dat..." Louwina zocht stomverbaasd zijn gezicht af, Anton lachte opnieuw breed. „Ik heb zo hier en daar mijn bronnen die ik aan kan boren als dat mij van pas komt. We hebben elkaar een tijd niet gezien of gesproken, maar ik heb jouw doen en laten gevolgd. Of door anderen laten volgen, snap je!?" Hij keek Louwina doordringend en scherp aan. Verbluft als ze was kon ze niet reageren en Anton ging verder. „Als het je interesseert, kan ik je zeggen dat ik nog veel meer weet. Dat Marjets moeder een paar weken geleden is overleden, wist ik al voordat ik het in de krant las. Dringt het tot je door dat ik veel meer weet dan jij tot dusverre hebt kunnen vermoeden!?"

„Ja, helaas wel... Je brengt me ermee van mijn apropos, 'k moet bekennen dat dat geen prettig gevoel is..."

Al pratende was ze werktuiglijk naar de huiskamer gelopen, dat drong pas tot haar door toen ze zag dat Anton zich een gemakkelijke stoel zocht en ze hem hoorde zeggen: „Ziezo, als jij me nu een kop koffie geeft, ben je een bovenste beste en kunnen we verder praten." Hij sloeg zijn benen over elkaar, stak een sigaret op en wierp haar een bemoedigende blik toe. Die miste het bedoelde effect volkomen, maar Louwina was wel blij dat ze naar de keuken kon om koffie voor hem te halen. Even alleen zijn, denken over wat ze wel of juist niet moest doen. Leunend tegen het aanrecht schonk ze met trillende handen een kop koffie in, ze voelde dat elke vezel in haar lichaam strak gespannen stond. Lieve help... wat overkomt me, vroeg ze zich paniekerig af. Wat komt hij doen en hoe kan het bestaan dat ik me opeens weer zo klein, nederig en bang voel? Het was dezelfde angst van nog maar een paar maanden geleden, die haar ook nu weer overspoelde. Deze man, hij vervulde haar met afkeer en toch had ze eens van hem gehouden. Hoe had dat kunnen bestaan! Ze was zelf vierentwintig jaar, Anton was al in de veertig en dat was hem aan te zien. Daar had ze zich toentertijd echt helemaal niet aan gestoord, zij viel nu eenmaal op oudere mannen. Zij hadden een charme die, naar haar smaak, bij leeftijdgenoten ontbrak. Wat ze toen niet had gezien zag ze nu wel: dat hij een engerd was. Een patserige man die dure merkkleding droeg. Daar hoefde hij anders niet trots op te zijn, zij was nog niet vergeten waarmee hij zijn geld 'verdiende'. Hij liet drugsverslaafden en anderen die aan lager wal waren geraakt goederen stelen die hij voor een zacht prijsje overnam om ze vervolgens met goede winsten door te verkopen. En met zo iemand had zij een relatie gehad, van die man had zij een kind gekregen. Een liefdesbaby, gelukkig wel, want toen zij zwanger raakte van Carmen had ze nog van Anton gehouden. Ze had toen niet geweten wat hij bij nacht en ontij uitspookte. Ze was er min of meer bij toeval achter gekomen en vanaf die tijd was zij voor Anton een marionet geweest. Ze danste al naargelang hij de touwtjes bediende. Op den duur, toen ze de wanhoop nabij was geweest, waren Wout en Marjet haar te hulp geschoten. Zij hadden haar bij Anton weg weten te halen en dat beschouwde ze nog steeds als een wonder. Waarom ben je er nu niet, Wout, ik heb het gevoel dat ik je nu nog harder nodig heb dan toen... Wout was er niet, ze moest deze klus zelf klaren. En misschien was dat ook juist wel de bedoeling. Mogelijk werd ze aan een proef onderworpen om te zien of ze haar eigen ik werkelijk had teruggevonden. Wout en Marjet, en zelfs hun vrienden Bart en Klaartje, noemden haar een vrouw met karakter die zichzelf slechts tijdelijk had verloren toen ze in de handen van een man als Anton terecht was gekomen. Toen werd ze een doetje dat met zich liet sollen, maar dat zou ze geen tweede keer laten gebeuren, bedacht ze opeens strijdlustig. Ze moest zo dadelijk de juiste wapens hanteren en dat betekende dat ze geen voor hem vervelende vragen moest stellen. Ze moest hém laten praten, ze had al geroken dat hij drank op had en hem kennende wist ze dat hij dan loslippig kon zijn. Ja, zo moest het; hem paaien en aan de praat houden en vervolgens moest ze hem zo snel mogelijk de deur uit werken. Vóór alles mocht ze niet laten merken dat ze in haar hart nog doodsbang voor hem was, want daar zou Anton onmiddellijk van profiteren. Alsof ze zich bij voorbaat trainde, zo rechtte Louwina haar rug en legde ze een lachje om haar mond dat wilskracht moest uitstralen.

„Ik dacht dat ik je niet terug zou zien, maar daar ben je dan toch! Met koffie en daar heb ik zin in," zei Anton toen Louwina de huiskamer weer binnenstapte. Ze zette het kopje voor hem neer, ze had zelf opeens geen behoefte meer aan een tweede kopje. Toen ze daarna stijf rechtop op het puntje van de bank ging zitten, merkte Anton op: „Ik mag me vergissen, maar je komt wat nerveus op me over. Daar is anders helemaal geen reden voor, want net als ik hoef jij je nergens druk om te maken! Je kent me toch, je weet dat ik niet over één nacht ijs ga, maar dat ik mijn zaakjes van tevoren altijd nauwgezet uitstippel. Ik wist dat de kust hier voor mij veilig zou zijn. De bewoners van dit huis vertoeven momenteel in een vakantiehuisje op de Veluwe – je hoort dat ik terdege ben ingelicht – hun kinderen zijn alle drie naar school. We hebben het rijk alleen, anders zou ik niet gekomen zijn!" Hij lachte, trots op zichzelf, maar liet er ernstig op volgen: „Ik noem het ongepast dat ze de hele mikmak hier aan jou hebben overgelaten! Daar trek ik mijn conclusie uit en die luidt dat jouw zogenaamde weldoeners enkel en alleen van je profiteren! Het krioelt hier van de katten, van paarden groot en klein, van een ezel en noem maar op en dan is er ook nog die joekel van een hond waar jij zo gek op was. Verder zijn er drie kinderen van hun en eentje van jezelf die de nodige zorg en aandacht vragen! De veearts en zijn vrouw hebben aan jou een goedkope hulp en dat weten ze maar al te goed. Ik hoop dan ook dat je inmiddels bent gaan inzien dat jij het bij mij een stuk beter had!"

Zoals ze zich had voorgenomen had Louwina hem stil laten praten, en nu hij zweeg praatte ze vliegensvlug over het laatste wat hij had gezegd heen en nam ze het op voor mensen die haar dierbaar waren. „Je beschuldigingen aan het adres van Wout en Marjet raken kant noch wal. Natuurlijk heb ik het momenteel best wel druk, maar wat betreft de dieren sta ik er zeker niet alleen voor! Er komt elke ochtend een man uit het dorp die de dieren voert en verzorgt. Hij is buschauffeur en tussen zijn diensten door houdt hij de hokken en stallen schoon en doet hij ander zwaar werk dat gedaan moet worden. Bovendien zijn Gijs en Jorden geen kleine peuters meer, zij moeten voor en na schooltijd helpen met het verzorgen van de dieren. Dat heeft Wout hen op het hart gedrukt en ze maken zich er zeker niet met een Jantje-van-Leiden van af. Zodoende hoef ik alleen voor de kinderen te zorgen en voor het huishouden. Daar heb ik mijn handen eerlijk gezegd meer dan vol aan. Vanaf de tijd dat ze hier kwamen wonen had Marjet hulp van een potige vrouw uit het dorp. Femmie, zij kwam drie ochtenden per week, maar vanwege rugklachten heeft ze haar baan hier een aantal weken geleden moeten opzeggen. Sindsdien heeft Marjet alle mogelijke moeite gedaan om een vervangster voor Femmie te vinden, tot nog toe is dat haar echter niet gelukt. Nu Marjet er even niet is, komt alles op mij neer, maar dat geeft niet, ik ben blij dat ik eens iets terug kan doen. Marjet moest er gewoon even tussenuit. Wout oordeelde dat zij, samen met hem, eventjes de tijd moest krijgen om in alle rust te kunnen rouwen. Marjet mist haar moeder verschrikkelijk, ze gaat echt gebukt onder het verdriet om haar. Oma Diny... ze wordt hier in huis door iedereen gemist. Ook door mij, ze was als een moeder voor me..."

Hoewel Anton een gruwelijke hekel had aan dit soort week geklets, zoals hij het noemde, deed hij zijn best dit niet aan Louwina te laten merken. Hij trok zijn gezicht in de plooi en knikte quasi ernstig. „Ik heb een tijdje met jou samen in dit dorp gewoond, ik ken de mensen over wie jij het hebt. Ik wilde je zopas even op stang jagen, maar ik wist wel dat je wat betreft de dieren hulp had. Ik ken die man, het is Jelmer Douma, hij en zijn vrouw Annelies hebben maar één zoon, Clemens, waar ze hun handen vol aan hebben. Jelmer Douma wordt ervoor betaald dat hij jou werk uit handen neemt, zelfs dát weet ik! Het is echter niet meer dan normaal dat jouw vriend, de veearts, zijn beurs trekt, want hij heeft geld in overvloed. Dat zal mij een zorg zijn, ik haal Jelmer er enkel bij aan om jou te laten horen dat ik meer weet dan jij kunt vermoeden! En nu komen we weer terug bij het gesprek over de oude vrouw, Diny Willemsen. Waar is zij eigenlijk aan gestorven?"

Louwina staarde hem een ogenblik perplex aan. Anton kende de gang van zaken hier tot in de details, het leek warempel wel alsof hij haar continu in de gaten hield. Of liet hij haar schaduwen? Het idee alleen al vond ze doodeng, het maakte haar bang. Ze wilde weten waarom hij haar niet gewoon met rust liet. Die vraag durfde ze echter niet te stellen. Ze wist dat deze man om het minste of geringste enorm kwaad kon worden en dat moest ze nu vóór alles zien te voorkomen. Het was absurd dat ze samen zaten te praten als was er niets gebeurd, ze kon echter niet anders dan doen alsof ze gek was. Ze moest het spel meespelen, maar dat kostte de nodige moeite. Louwina moest veel wegslikken voordat ze op zijn vraag in kon gaan. „Het is allemaal zo snel gegaan dat we het nog amper kunnen bevatten. Ze begon te klagen over vermoeidheid en dat was op zich al iets wat totaal niet bij oma Diny paste. Ze was een oude vrouw van dik in de tachtig, maar in haar manier van doen is ze bijna tot het laatste toe opvallend vitaal gebleven. Wout en Marjet werden pas echt bezorgd toen oma Diny vertelde dat er iets goed mis was met haar. Toen ze zei dat haar urine heel erg donkerbruin was en haar ontlasting griezelig wit, werd de huisarts in allerijl ontboden en lag ze de volgende dag al in het ziekenhuis. De onderzoeken die daar werden verricht wezen al snel uit dat haar lever verwoest was. Kort gezegd komt het erop neer dat haar hele lichaam door haar lever werd vergiftigd. Dat was zo razend snel gegaan dat er al geen houden meer aan was toen het werd ontdekt. Ze heeft maar een paar dagen in het ziekenhuis gelegen, toen mocht ze naar huis om te sterven. Tien dagen heeft ze daarna nog geleefd, toen was het gedaan. Haar laatste woorden waren: 'Ik heb een mooi leven gehad, jullie moeten niet om mij treuren. Het is goed zo, ik ga in vrede.' Natuurlijk wordt er wel om haar getreurd, voor Marjet is het het allermoeilijkst." Louwina veegde heimelijk een traan weg die kans had gezien te ontsnappen, dat ontging Anton niet. Hij had allang genoeg van dit gepraat, en nu zei hij: „Je hoeft ze niet zo snel weg te vegen, jouw tranen komen mij nog zeer bekend voor! Mensenkinderen, je hebt wat afgejankt bij mij. En je bent dus niks veranderd, merk ik, je bent nog altijd die weke truttebol van toentertijd!" Hij schudde verbijsterd zijn hoofd, maar keek raar op toen Louwina, ogenschijnlijk kalm, haar weerwoord gaf. „Zoals jij er daarstraks blijk van gaf dat jij Wout en Marjet van geen kanten kent, zo ken je mij niet. O ja, onder jouw dictatuur was ik niets meer dan een marionet, maar gelukkig heb ik de touwtjes nu zelf weer in handen! Dankzij de nooit aflatende hulp en goede zorgen van lieve mensen heb ik mezelf weer teruggevonden. Ik ben weer degene die ik was voordat ik jou leerde kennen en zo wil ik blijven...!"

Hij staarde haar een moment verbluft aan, waarna hij

in de lach schoot. „Ik moet zeggen dat je lef toont, je schiet er alleen niks mee op. Ik ben nog precies dezelfde Anton Schuitema en gewend mijn zin te krijgen! Ik hoop dat je in de gaten hebt dat ik niet voor onzinnig gebabbel naar je toe ben gekomen, maar met een vastomlijnd doel. Ik wil namelijk dat je bij me terugkomt en daar zul jij geen nee op zeggen, neem ik aan!"

Louwina hief haar gezicht naar hem op, er lag een nerveus trillinkje in haar stem. „Je vergist je, ik hou niet meer van je. En jij niet van mij, dat heb je me duidelijk te verstaan gegeven toen Wout mij bij jou weg smokkelde. Toen gaf je me een duw zodat ik bijna viel en zei je lelijke dingen. Dat je op mij en Carmen uitgekeken was, dat je blij was dat je van ons af was en nog veel meer. Weet je dat dan niet meer...?"

„Jawel, mijn geheugen is nog altijd helder als glas. Maar een mens kan van mening veranderen. Je bent een opvallend mooie vrouw, zoals jij lopen er niet veel. Je bent heerlijk jong, dat is voor mij zeer belangrijk. Bovendien kun je lekker koken. Je verzorgde me goed en dat mis ik nu allemaal. Houden van is alleen maar gedweep waar je niks voor koopt, maar na maanden zonder jou is het voor mij mooi geweest. Ik wil je terug, Louwina, om de doodeenvoudige reden dat ik je nodig heb!" Hij keek zowat dwars door haar heen toen hij er dreigend aan toevoegde: „Jij hebt geen keus, mijn wil is nog altijd wet!"

Vanwege zijn verregaande arrogantie vergat Louwina eventjes dat ze voorzichtig moest zijn en schoot ze uit: „Wat verbeeld jij je wel niet, man! Voor al het goud van de wereld zou ik niet willen terugkeren bij jou! Jij deugt niet en ik heb geen zin om betrokken te raken in jouw duistere praktijken. Moet ik je de deur nog wijzen of verlaat je uit jezelf dit huis...?"

Louwina's stem trilde van ingehouden emoties, die van Anton klonk opeens ook anders dan ervoor. Luisterend naar haar had hij begrepen dat het haar ernst was, en hij prees zich gelukkig met het feit dat hij nog een laatste troef in handen had. Hij verborg de woede die Louwina bij hem had opgeroepen achter een gemaakt lachje en speelde de begripvolle man. „Ik kan je helaas nergens toe dwingen. Jawel, ik zou je hier aan je haren kunnen wegsleuren, maar dan krijg ik moeilijkheden waar ik geen zin in heb. Rest mij jou te wijzen op bepaalde rechten die ik heb wat betreft mijn dochter. Snap je al waar ik heen wil!?"

Tergend langzaam schudde Louwina van nee, maar in haar kermde het: ja, ja, je wilt Carmen bij me weghalen. O, goede God, help me, deze man is gevaarlijker dan ik tot dusverre heb geweten. Een ongekende angst hield haar in een wurggreep en tegelijkertijd realiseerde ze zich dat ze hem nu 'lief' tegemoet moest treden. Paaien en strooplikken, ze kon vooralsnog alleen maar hopen dat ze er het juiste mee bereikte. „Begrijp ik het goed, Anton, wil je Carmen graag even zien...? Dat kan, ik denk dat ze onderhand wel wakker is..." Waar haal ik het vandaan, hij mag mijn kleine schat helemaal niet zien, stel dat hij haar aan zou raken...!

„Nee, nee, doe geen moeite," zei Anton gehaast. Hij moest er niet aan denken dat dat kleine mormel bij hem op schoot zou worden gezet. „Laat haar maar rustig waar ze is, ik wil jou alleen maar duidelijk maken dat jouw dochter ook mijn dochter is! Ik mis haar" – loog hij met een stalen gezicht – „en wil haar op gezette tijden bij me hebben. Om de veertien dagen een weekend lijkt me toch waarachtig niet te veel gevraagd?"

Louwina voelde haar hart in haar keel bonken, ze wist niet waar ze de kracht en de moed vandaan kreeg om zacht en ogenschijnlijk begripvol te liegen: „Het zijn vaderlijke gevoelens die ik in je waardeer. We moeten een regeling treffen, maar je begrijpt natuurlijk wel dat dat niet even gauw, gauw, op stel en sprong kan. Ik moet de nodige maatregelen treffen en zo zal het jou ook vergaan. Jij zult op zijn minst een bedje voor Carmen moeten aanschaffen en zo is er meer wat een klein kind nodig heeft. Dat laat ik je wel weten, ik zal het voor je op papier zetten. Zullen we elkaar, laten we zeggen, veertien dagen de tijd geven en dan weer contact opnemen...?" Ik ben mijn roeping misgelopen, flitste het door haar heen, ik had toneelspeelster moeten worden. Tot haar onuitsprekelijke geluk zag ze dat Anton ja knikte. Ze wist echter niet dat hij pijlsnel had bedacht dat als Louwina het kind bij hem kwam brengen, hij haar niet meer zou laten gaan. Hij had geen belangstelling voor het kind, des te meer voor de moeder met haar begeerlijke, jonge lichaam. „Ja, het is goed, ik zal jou en mezelf de nodige tijd gunnen."

„Waar woon je tegenwoordig en... handel je nog in dezelfde spullen als toentertijd...?"

„Dat gaat jou voorlopig allemaal geen moer aan! Je mag rustig van me aannemen dat het me voor de wind gaat. Daar zou jij een graantje van mee kunnen pikken, maar dat komt nog wel. We zijn op de goede weg, dit bezoekje heeft mij geen windeieren gelegd. Binnenkort zul jij weer mijn vrouw zijn en zullen we weer samen slapen. Dáár vooral kijk ik naar uit!"

Louwina kon een huivering van weerzin nauwelijks onderdrukken, ze voelde hete tranen achter haar ogen branden en die deden haar lippen trillen, haar stem fluisteren. „We moeten nu afscheid nemen... De kinderen komen zo dadelijk thuis uit school en als ze jou hier niet treffen, hoef ik geen lastige vragen te beantwoorden. Gijs en Jorden zouden jou vast herkennen, je begrijpt wel wat ik bedoel..."

Hij knikte. „Je hebt gelijk, ik moet opstappen. Ik bel je als ik de boel voor het kind op orde heb, dan spreken we een plek af waar we elkaar kunnen ontmoeten. Ik denk aan een restaurant in de stad, maar dat hoor je nog van me. De rest wijst zich dan vanzelf." Hij aarzelde maar heel even, dan nam hij haar gezicht tussen zijn handen en drukte hij een lange zoen vol op haar mond. Die gaf

Louwina het gevoel dat ze moest overgeven. „Dag, truttebol, je bent nog niet van me af!" Het klonk als een dreigement en zo was het ook bedoeld.

Pas toen ze hoorde dat hij zijn auto startte en wegreed, besefte Louwina dat het gevaar geweken was. Maar voor hoe lang…?

Kort hierna zat ze met Carmen op haar schoot en voerde ze het kindje haar vruchtenhapje. „Je bent van mij, alléén van mij," praatte ze met een verborgen snik in haar stem. „Hij heeft je verwekt, maar hij is van geen kanten een vader. Eerder een boeman die jou meer kwaad dan goed zal doen." Ze veegde behoedzaam een traan weg die vanuit haar oog op Carmens hoofdje was gedrupt. Alsof Carmen het een leuk spelletje vond, zo opende ze haar tandeloos mondje en schonk ze haar moeder haar liefste lachje. Louwina knuffelde haar vertederd en later, toen ze met Gijs, Jorden en Marieke aan tafel zat, raakte ze ontroerd door een opmerking van Gijs. „Jij doet vrolijk tegen ons, maar je bent een beetje verdrietig. Want dat zie ik aan je ogen!"

Je bent een jongen met diepgang, je hebt een lief en goed karakter, dacht Louwina ontroerd, anders zou het je niet opvallen dat ik anders ben dan anders. Ze schonk Gijs een bemoedigend lachje. „Ja, ik voel me niet zo prettig, maar dat gaat wel weer over." Ze wilde nog iets zeggen, maar Jorden onderbrak haar. Hij meende de oorzaak van haar gevoelens te herkennen en zei: „Dat gaat bij mij precies zo! Telkens als ik aan oma denk, word ik verdrietig. Soms zo erg dat ik er bijna van moet huilen. Waarom moest oma dan ook doodgaan, ze was altijd zo lief voor ons…"

De jongen kreeg het zichtbaar te kwaad, en zijn kleine zusje Marieke probeerde Jorden en zichzelf moed in te spreken. „Oma komt wel weer bij ons. Misschien al wel heel gauw, hè Gijs?"

Deze schudde zijn hoofd en zei waar hij voor zichzelf van overtuigd was. „Oma is nu bij God en daar is ze heel gelukkig. En ze is niet echt bij ons weggegaan, want vanuit de hemel ziet ze ons en waakt ze over ons. Omdat ze het nu zo goed en mooi heeft zouden we eigenlijk helemaal niet om oma hoeven huilen, maar tja... daar kun je soms niks aan doen."

De vrouw die zo moeilijk gemist kon worden bleef nog een tijdje onderwerp van kindergesprekken, totdat Gijs zijn broer een por gaf. „Kom op, voordat we weer naar school gaan moeten we naar achteren om de waterbakken bij te vullen! Dat zijn we vanochtend, stom genoeg, vergeten!" Ze haastten zich naar buiten, en een kwartiertje later kwamen ze even gehaast weer binnenstuiven om Marieke op te halen en naar haar schooltje te brengen. Pas toen de rust in huis was teruggekeerd kreeg Louwina de gelegenheid om in gedachten stil te staan bij datgene, wat haar die ochtend was overkomen. Anton... ze wist opeens heel zeker dat ze niet van hem verlost was, zoals ze de hele tijd had gedacht. Ze had hem gepaaid en verschrikkelijk zitten strooplikken. Ze had nota bene gezegd dat ze zijn vaderlijke gevoelens waardeerde, terwijl hij die niet eens had. Toch was ze best een beetje trots op zichzelf, want door te doen alsof had ze tijd weten te rekken. Anton was vertrokken zonder verder moeilijkheden te maken, en hij hoefde er echt niet op te rekenen dat zij Carmen bij hem zou brengen! Stel je voor: dat zou het ergste zijn wat ze het kindje kon aandoen. Ze had hem wijs weten te maken dat ze bepaalde dingen moest plannen waar ze tijd voor nodig had, in werkelijkheid wilde ze alleen maar wachten tot Wout en Marjet terug waren. Ze vond het erg vervelend dat ze Wout en Marjet opnieuw moest lastigvallen met haar problemen. In plaats van dat ze eens iets terug kon doen had ze die goede mensen weer heel hard nodig. Dat voelde ze haarscherp aan, zij kende Anton immers als geen ander. Zij had echt reden genoeg om bang te zijn... Hij wist ook zo griezelig veel van haar, terwijl hij hier niet meer in het dorp woonde. Voorzover zij wist had hij zich hier, nadat ze uit elkaar waren gegaan, nu voor het eerst weer vertoond. Hoe wist hij dan die dingen die hij goedbeschouwd niet weten kon? Ik heb zo mijn bronnen, had hij gezegd. O, bah, wat eng allemaal...!

Zo, al piekerend en peinzend, had Louwina de stofzuiger door het huis gehaald. Ze was bezig het avondeten panklaar te maken, nog steeds haar loodzware gedachten bij de man die ze zo graag uit haar leven wilde bannen, toen ze bij de achterdeur een bekende stem hoorde roepen: „Is de koffie klaar, of ben ik te vroeg?"

„Kom maar verder, Jelmer, ik ben in de keuken!" riep Louwina terug. Jelmer Douma, een lange, blonde man met heldere blauwe ogen en een innemend gezicht, stapte de keuken binnen. Louwina verdrong manmoedig haar kwellende gedachten, en ze schonk Jelmer een open lach. „Je zult nog even geduld moeten hebben, de koffie is aan het doorlopen. Je bent inderdaad te vroeg, eerlijk gezegd had ik je nog helemaal niet verwacht!"

Jelmer ging alvast op een stoel aan de keukentafel zitten en wachtend op de koffie vertelde hij: „Ik ben gisteren vergeten te zeggen dat ik vanaf vandaag een week lang late dienst heb. Dat houdt in dat ik 's middags om vijf uur moet beginnen tot een uur of half een in de nacht. Eerder zag jij me na het avondeten verschijnen, dat kan nu dus niet. Het is een troost dat dieren geen klok kunnen kijken, zij hebben er geen weet van dat hun hok of stal vroeger of later wordt uitgemest."

„Dat is waar en ik ben allang blij dat je gekomen bent! Ik moet er toch echt niet aan denken dat ik de zorg voor de dieren er ook nog bij kreeg!"

Daarop zei Jelmer in volle ernst: „Ik heb deze tijdelijke baan maar al te graag aangenomen. Ik vind het leuk werk, het is weer eens iets anders. Eerlijkheidshalve moet ik erbij zeggen dat ik het geld dat ik ermee verdien ook best kan gebruiken."

„Ik dacht dat een buschauffeur een goed maandloon had?" Louwina had de vraag in alle onschuld gesteld, en

Jelmer antwoordde: „Dat is ook zo! En zeker met een klein gezin als dat van Annelies en mij, zouden wij er goed van kunnen leven. Ik heb collega's met drie of meer kinderen die zich echter meer kunnen permitteren dan wij. Maar ja, zij hebben dan ook geen zoon die in zijn eentje meer op kan dan een heel gezin samen. Clemens, je zou eens moeten weten hoeveel zorg wij om onze enige zoon hebben." De man schudde vertwijfeld zijn hoofd, en Louwina zette een kop koffie voor hem neer. „Sorry, Jelmer, dat ik een vraag stelde die het gesprek naar je zoon leidde. Dat was echt niet mijn bedoeling!"

Jelmer zond haar een geruststellende blik. „Dat weet ik, ik ken je inmiddels een klein beetje. Het zou me dan ook niet spijten als Clemens een oogje op jou zou laten vallen. Je bent een verstandige vrouw, jij zou overwicht op hem hebben en hem in toom kunnen houden. Gelukkig ben ik realistisch genoeg om eraan toe te voegen dat je liever maar niet met een jongen als Clemens in zee moet gaan."

„Ik heb natuurlijk weleens iets opgevangen over Clemens," bekende Louwina. „Net als iedereen hier in het dorp weet ik dat jouw zoon verslaafd is aan drugs. Ik heb me er wel iets bij voor kunnen stellen, maar nu ik jou zo hoor praten, besef ik dat jullie meer met hem te stellenhebben dan ik vermoedde."

Jelmer knikte. „Annelies en ik hangen de vuile was niet graag buiten. Er zijn maar een paar mensen, echte vrienden, die het fijne ervan weten. En zij hebben absoluut het beste met ons voor als ze zeggen dat wij Clemens de deur moeten wijzen, maar dat kunnen wij niet over ons hart verkrijgen. Hij is onze zoon, als wij hem in de steek lieten, zou hij in de goot belanden. We blijven hem beschermen ook al kost dat enorm veel moeite. We kunnen niet bevatten dat onze enige zoon het rechte pad uit het oog verloor. En hoewel we in ons hart beter weten, zoeken we de schuld ervan vaak bij onszelf. Clemens... hij bezorgt ons vele slapeloze nachten."

„Is hij van kleins af aan een moeilijk opvoedbaar kind geweest?” vroeg Louwina. En alsof het hem goeddeed dat hij erover kon praten, zo vertelde Jelmer: „Vanaf zijn geboorte totdat hij de basisschool doorlopen had, was hij een allerliefst kind. In het eerste jaar van de mavo veranderde hij en dat werd toen alleen maar erger. Onhandelbaar als hij was is hij op een gegeven moment van school gestuurd. Daarna is hij hier en daar aan het werk geweest. Het waren telkens kortstondige baantjes, vanwege zijn gedrag werd hij in een mum van tijd weer ontslagen. Inmiddels is het zo ver gekomen dat geen mens hem meer in dienst wil nemen en is hij werkloos. Hij strijkt een uitkering op en dat stuit Annelies en mij verschrikkelijk tegen de borst. Clemens zit er echter niet mee. Hij lacht erom. Een jongen van zevenentwintig jaar, die liever steelt en rooft dan dat hij zijn rug recht en zijn handen uit de mouwen steekt. Het is verschrikkelijk, we schamen ons diep voor hem, maar we staan er machteloos tegenover. Zijn uitkering is voor hem een druppel op een gloeiende plaat, hij schaamt zich er helaas niet voor om zijn hand ook bij ons op te houden. En wat doe je dan...? Als we hem niks geven, besteelt hij onschuldige mensen, want hij kan niet meer zonder zijn dagelijkse portie drugs. Hij heeft ons onderhand een vermogen gekost, desondanks hebben wij het sterke vermoeden dat hij niet genoeg heeft aan wat wij hem geven en dat hij wel degelijk mensen besteelt. Wij vragen ons wanhopig af waar het einde is.” Jelmer slaakte een moedeloze zucht waarna hij zichzelf tot de orde leek te roepen. „Maar kom, ik zal eens aan de slag gaan. Ik zit jou met mijn zorgen te belasten terwijl ik weet dat jij daar nog veel te jong voor bent. Sorry dat ik dat te laat inzag.” Jelmer keek beschaamd, en Louwina haastte zich te zeggen: „Ik vind het fijn als mensen mij voor vol aanzien. Dat deed jij daarnet, want anders zou je niet zo openhartig zijn geweest. Je hebt overigens al eens eerder laten blijken dat jij in mij geen onmondig kind ziet!” Op zijn vragende blik verduidelijkte ze: „Toen jij hier de eerste keer kwam en wij ook onder het genot van een kopje koffie aan de praat raakten, vroeg jij me of ik je niet meneer Douma wilde noemen, maar Jelmer. Dat zou je niet hebben gevraagd als je me een onnozele gans had gevonden. Toch...?"

Jelmer haalde zijn schouders op. „Ik ben eenenvijftig, je zou mijn dochter kunnen zijn. Maar in bepaalde gevallen, Louwina, speelt de leeftijd van een mens geen rol. Het gaat er louter om wie je tegenover je hebt zitten. Dat ik tegen jou zo vrijuit kan praten, komt volgens mij doordat jij zelf het een en ander hebt meegemaakt. We zijn hier op het dorp niet vergeten dat jij in dat miezerige huisje woonde met een kerel die van geen kanten bij je paste. Hij had alles wat zijn hart begeerde, jij had niets. Dacht je nou dat dat niet opviel?"

„Ja, dat was geen leuke tijd..." zei Louwina zacht. „In het kleine huisje was niet eens een slaapkamer, we moesten in een bedstee slapen. Maar dat was niet het ergste..." Ze slaakte een onhoorbare zucht en bedacht pijlsnel dat Jelmer niet mocht weten dat Anton haar vanochtend een bezoek had gebracht, waardoor zij op het ogenblik niet zonder vrees naar de toekomst durfde uitzien. Ze sloeg haar grote, donkere ogen naar hem op en glimlachte dapper. „Dankzij de hulp van lieve mensen is het met mij weer goed gekomen."

„De mensen over wie jij het nu hebt, hebben zelf ook het een en ander achter de kiezen!" wist Jelmer. „Tjonge, als ik eraan terugdenk dat Wout Speelman verdacht werd van de moord op een jong meisje en in de gevangenis belandde, krijg ik subiet weer kippenvel en besef ik terdege dat Annelies en ik niet eens mogen klagen!"

„Ik was een paar dagen bij Wout en Marjet in huis toen zij me op een avond vertelden wat zij te verstouwen hadden gekregen. Voor zijn arrestatie was Wout dierenarts, na zijn vrijlating kon hij het beroep waar hij zo van hield, niet meer uitoefenen omdat hij zijn praktijk had moeten verkopen toen hij in de gevangenis zat. Na een moeilijke tijd kocht hij deze boerderij hier op het dorp en opende hij een opvanghuis voor oude, zieke en verwaarloosde dieren. Wout heeft zijn plekje weer gevonden en is gelukkig, ik kan er nog altijd met mijn verstand niet bij dát Wout destijds van een moord beschuldigd werd. Iedereen kan toch met één oogopslag aan Wout zien dat hij een man is met een hart van goud?"

Jelmer zei bedachtzaam: „De mensen zouden eigenlijk een stempeltje van goed of kwaad op hun voorhoofd moeten dragen. Dan kon je tenminste zien wie je voor je had. Zo werkt het echter niet en wat mijn zoon betreft ben ik blij dat vreemden niet aan hem kunnen zien hoe hij er vanbinnen uitziet. En nu moet ik toch echt aan de slag, ik geloof dat ik inmiddels al drie koppen koffie op heb, is het niet?"

Louwina knikte beamend. „Dat doet er niet toe, evenmin als de tijd die ermee gemoeid was. Jou kennende haal jij die wel weer in, het gesprek dat wij gevoerd hebben kan niemand ons meer afpakken. Dat vind ik belangrijk, want het heeft me goedgedaan." De naam Anton en alles wat daarmee samenhangt, drukt dankzij jou niet meer zo zwaar op mijn maag, dacht ze erachteraan.

Kort hierna was Jelmer Douma bezig de paardenstallen uit te mesten, en zijn gedachten waren bij Louwina Kemker. Hij had haar een vrouw met karakter genoemd en daar stond hij vierkant achter. Na alles wat dat jonge ding had meegemaakt, was ze er weer helemaal bovenop geklauterd. En heus niet alleen dankzij de hulp van Wout Speelman en zijn vrouw, want als Louwina van nature een slap karakter had gehad, zouden al hun goede bedoelingen tevergeefs zijn geweest. Hij wist toch warempel waar hij het over had! Annelies en hij deden zowat dag en nacht hun best voor Clemens, maar vanwege zijn inborst schoten ze er niets mee op. Die grote lummel van hen lag elke morgen tot een uur of twaalf in bed, daarna lag hij verveeld op de bank televisie te kijken. In de namiddag kwam er wat leven in dat slappe lichaam van hem, dan ging hij zich douchen, scheren en aankleden. Vervolgens vertrok hij met de bus van vijf uur naar de stad, daar kon je de klok op gelijkzetten. Wat hij in Groningen uitspookte wisten ze niet, wel dat het geen daglicht kon verdragen. Clemens had verkeerde vrienden uitgekozen en omdat hij er geen eigen mening op nahield, was hij maar al te gauw nadelig te beïnvloeden. Jammer, bedroevend jammer dat deze ene zoon hun zoveel zorgen en verdriet bezorgde. Andere, oppassende jongens van zijn leeftijd, hadden een gedegen opleiding achter de rug. Die hadden een goede baan, woonden samen met een leuk meisje of waren getrouwd. Zoals Annelies en hij vroeger gehoopt hadden op meer kinderen, zo verlangde vooral Annelies nu naar een kleinkind. Een klein popke als het kindje van Louwina, wat zou Annelies daar gelukkig mee zijn. Een mooier kleinkindje zou ze zich trouwens niet kunnen wensen, want de kleine Carmen was gewoon een plaatje. Maar ja, met een moeder als Louwina mocht je dat geen wonder noemen. Zij was echt een bloedmooie vrouw, vond Jelmer, zo liepen ze er niet bij bosjes. Louwina had halflang, zeer donker haar dat van nature weelderig krulde. Haar ogen waren groot en eveneens zeer donker. Ze had een mooi gevormde, gevoelige mond met volle lippen die, als zij praatte, haar witte tanden leken te strelen. Ze had een perfect figuurtje met alles erop en eraan. Ze was slank, toch waren haar rondingen aan de mollige kant waardoor ze supervrouwelijk overkwam. Een schoondochter als Louwina... Clemens, jongen, wat zou jij jezelf en ons gelukkig maken als jij je verstand gebruikte in plaats van puur vergif te slikken.

✾ 2 ✾

Die avond zat Louwina ietwat verveeld voor de televisie te zappen. Ze schrok toen de telefoon overging en ogenblikkelijk flitste er een naam door haar hoofd: Anton. Hij moest het zijn, want Marjet had eerder op de avond al gebeld. Ik neem gewoon niet op, dacht ze paniekerig, tegelijkertijd liep ze echter al op de rustverstoorder toe. Ze maakte zich bekend en slaakte een onhoorbare zucht van opluchting toen de vertrouwde stem van Bart Brouwer in haar oor klonk. „Ik ben in de buurt voor een vergadering. Vanwege de zeer matige opkomst van collega's is die eerder afgelopen dan was gepland. Zal ik nog even bij jou langskomen voordat ik naar huis ga, of is het daar inmiddels te laat voor?"

„Het is net tien uur," zag Louwina met een snelle blik op haar horloge, „voor mij veel te vroeg om al naar bed te gaan. Je bent meer dan welkom, hoor!"

„Mooi zo, dan zie je me zo dadelijk verschijnen. Je hoeft geen koffie meer te zetten, ik neem wel een alcohol-vrij pilsje van Wout. Dag, hoor!"

Hè, gezellig dat Bart nog even kwam babbelen, dacht Louwina vergenoegd. Bart Brouwer en zijn vrouw Klaartje, ze waren al lange jaren hartsvrienden van Wout en Marjet. Zij, Louwina, prees zich gelukkig dat ze kon zeggen dat Bart en Klaartje inmiddels ook haar vrienden waren. Bart kwam oorspronkelijk van dit dorp, hij woonde echter al heel lang in de stad Groningen waar hij de eigenaar was van een autorijschool. Een mooi bedrijf, onlangs had Bart het haar vol trots laten zien. Hij had drie personeelsleden en vier leswagens. Tussen de opvoeding door van hun zoontje Martijn en de huishouding, verzorgde Klaartje op het kantoor van de zaak de boekhouding. Op een keer, toen ze bij Bart en Klaartje op bezoek was geweest, had Bart gezegd dat hij haar gratis rijles wilde geven. „We hebben het momenteel smoordruk, maar zodra er een wat slappere tijd aanbreekt ga ik er persoonlijk voor zorgen dat jij je rijbewijs krijgt!" Ze vond het gebaar zo ontzettend lief van Bart dat ze niet had durven zeggen dat zij geen rijbewijs nodig had. De reden daarvan was voor haar simpel; ze zou niet weten waar ze zich een auto van moest aanschaffen. Voorlopig zou ze meer gebaat zijn met een baan, een huisje. Ze zou dat gelukkig kunnen inrichten, want haar meubeltjes uit het vorige huis stonden hier op zolder opgeslagen. Louwina stond op en terwijl ze alvast een flesje malt en een glas voor Bart klaarzette en voor zichzelf een wijntje inschonk, bedacht ze dat ze straks maar liever niet aan Bart moest zeggen dat Anton hier was geweest. Het had immers geen zin om hem te laten schrikken, ze wilde niet dat hij zich zorgen zou maken om haar. Ze moest en wilde zelfstandig haar eigen boontjes doppen. Met weer een blik op de klok bedacht ze dat Bart er nu elk moment kon zijn, ze verheugde zich op zijn bezoek. Ze mocht Bart echt heel graag en ze wist zeker dat áls ze ooit weer belangstelling voor een man zou krijgen, wat ze zich nu absoluut nog niet kon voorstellen, hij best een soort Bart-figuur zou mogen zijn. Zo gelukkig Bart zijn Klaartje maakte, zo gelukkig zou zij in de liefde willen zijn. Een man als Bart Brouwer, naar alle waarschijnlijkheid liep er niet eens een tweede als hij rond! Wat zat ze nou weer raar te fantaseren, ze had helemaal geen behoefte aan een man! Eens was ze verliefd tot over haar oren en vol goede moed met Anton van start gegaan, terugkijkend op die periode zag ze alleen maar donkere, dreigende wolken. Dat was dus eens, maar nooit meer! Ze wilde toch echt niet die bewuste ezel zijn en daarom... Verder kwam Louwina niet, want verloren in eigen gedachten had ze niet gemerkt dat Bart gearriveerd was. Hij was achterom gekomen en stond ineens in de deuropening van de huiskamer. Louwina wipte op uit haar stoel en nadat ze elkaar hadden begroet met een kus op beide wangen, prees Bart: „Kijk, kijk, mijn biertje staat al klaar, zo mag ik het zien!" Hij ging op de bank zitten en praatte verder. „Wat is het hier stil, zo ben ik het niet gewend. Liggen de kinderen allemaal al in bed?"

Louwina vertelde: „Marieke en Carmen lagen er gewoontegetrouw om zeven uur in, Jorden kwam mij welterusten wensen vlak voordat jij belde en Gijs zit op zijn kamer nog te zwoegen achter zijn huiswerk. Misschien komt hij zo dadelijk nog even naar beneden, het kan ook zijn dat hij meteen zijn bed induikt als hij klaar is."

„Wout vertelde onlangs dat Gijs het bijzonder goed doet op school, fijn is dat!" vond Bart. Louwina haakte erop in. „Gijs kan gewoonweg heel goed leren, hij doet nu de havo, maar dat is voor hem eigenlijk te eenvoudig. Wout en Marjet wilden niet meteen te hoog grijpen, zij zien de havo voor Gijs als een goede ondergrond waarop hij straks moeiteloos verder kan. Leuk hè, Bart, dat hij dierenarts wil worden, begrijpelijk dat dat Wout als muziek in de oren klinkt! Gijs weet precies wat hij wil, Jorden leert moeilijker, hij denkt nog niet aan later."

„De een is de ander niet," vond Bart. „Wat zijn studie betreft is Gijs bloedserieus, Jorden is veel speelser. Hij ziet de noodzaak van het studeren nog niet in, hij heeft de tijd ook nog wel even. Heb je nog iets van Wout en Marjet gehoord?" liet hij er in één adem op volgen.

„O ja, ze bellen iedere dag, meestal voor zevenen, dan weten ze dat ze Mariekes stemmetje ook nog even kunnen horen. Vanavond zei Marjet dat ze de kinderen mist, dat ze een beetje heimwee heeft. Haar stem klonk down, ze was beslist niet in een hoera-stemming. Maar ja, dat mogen we van haar ook niet verwachten, het is nog maar zo kort geleden dat haar moeder overleed. Oma Diny, onvoorstelbaar, niet Bart, dat zij er opeens niet meer is?"

Hij knikte beamend en zei ernstig: „We hebben het er allemaal moeilijk mee, mijn moeder ook. Net als oma Diny was, is zij ook oud en met het overlijden van haar lieve vriendin staat mijn moeder nu, vaker dan gewenst, stil bij haar eigen dood. Ik moet er toch nog niet aan denken dat zij er niet meer zal zijn. En Klaartje wil daar bewust niet aan denken. Mijn moeder, Leny Brouwer, is haar moeder geworden en dat heeft op zich al een trieste betekenis. Je weet wel hoe ik dit bedoel."

Louwina knikte begrijpend van ja. „Klaartje heeft me eens verteld dat ze geen contact meer heeft met haar eigen moeder. Ik schrok er vreselijk van toen ik hoorde dat haar vader zich vroeger van het leven heeft beroofd. Haar moeder hertrouwde later met een man, Jan-Willem de Roos, die een zoon had. Heb ik het goed onthouden dat die Koen heet?"

„Ja, dat klopt. Koen de Roos is drieëndertig, even oud als Klaartje. Het is sneu voor Klaartje dat haar moeder blijkbaar genoeg heeft aan haar tweede man en diens zoon. Naar haar eigen dochters, Klaartje en Inge, kijkt ze blijkbaar liever niet meer om. En de beide zusjes hebben ook weinig aan elkaar, want zoals je weet woont Inge met haar man in Argentinië, waar ze toentertijd een opvanghuis voor straat- en weeskinderen hebben geopend. Klaartje en Inge bellen elkaar regelmatig en eens in de zoveel tijd komt Inge met vakantie naar hier of Klaartje en ik zoeken haar en haar man, Onno Nijkamp, ginder op. Maar zoals Klaartje niet meer op haar moeder kan terugvallen, zo heb jij dat met je vader. Toch?"

„Ja, het komt op hetzelfde neer. Mijn moeder overleed toen ik zestien jaar was, pa hertrouwde later met een veel jongere vrouw. Zij had van zichzelf twee kinderen, later kregen pa en zij er samen nog een. Pa en ik hebben geen ruzie, zelfs geen woorden gehad, het is gewoon zo dat er in hun drukke gezin geen plaats is voor mij. Door de jaren heen zijn we uit elkaar gegroeid, nu hebben we elkaar niets meer te zeggen. De familieband is verbroken, daar doe je niets aan." Louwina haalde in een laconiek gebaar haar schouders op, en Bart kon niet nalaten op te merken: „Toch ben jij alweer een tijdje geleden op een zondag te gast geweest bij je pa en zijn vrouw!"

„Ja, dat is waar, maar daar werd ik door Wout toe gedwongen. Zo mag ik het toch wel stellen, want hij bleef erop aandringen, zei telkens dat het mijn plicht was. Toen ben ik op een keer naar hen toe gegaan, maar om te zeggen dat het een succes was...? Ik voelde me opgelaten en zij wisten niet wat ze met mij en Carmen moesten beginnen. Toen ik al na een uurtje te kennen gaf dat ik weer wilde opstappen, werd ik door geen van beiden tegengehouden. Als pa blij was geweest dat Carmen en ik er waren, zou hij gevraagd hebben of ik nog een poosje wilde blijven. Zijn vrouw was in de keuken met het eten bezig, er werd echter niet gevraagd of ik bij hen aan tafel wilde schuiven. Het is nog net als vroeger: het is goed als ik kom, beter dat ik wegblijf. Maar goed, Wout heeft zijn zin gekregen; pa weet nu in ieder geval dat ik een dochter heb en dat ik mijn relatie met Anton Schuitema verbroken heb. Zo wilde Wout het, hij vond dat pa moest weten wat mij was overkomen en dat ik nu bij hem en Marjet woon. Nou, dat vond pa prima! Logisch toch ook, want nu hoeft hij zich om mij geen zorgen te maken. Het is goed zo, ik zit er echt niet mee," zei ze overtuigend.

Bart keek bedenkelijk. „Hoewel het me moeite kost, zal ik je moeten geloven. Jou en Klaartje, want zij praat precies zo over haar moeder. Ik kan niet anders zeggen dan dat ik dolblij ben dat ik mijn oude moedertje nog heb! Ik lust nog een biertje en dan moet ik weer opstappen," liet hij erop volgen.

Louwina stond op en verdween naar de keuken, en toen ze het gevraagde drankje voor hem neerzette en er weer bij ging zitten, opperde Bart in volle onschuld: „We zullen hopen dat de band tussen jou en je vader ooit weer wat steviger aangetrokken wordt, je mag je handen echter van geluk dichtknijpen dat je van Anton Schuitema verlost bent!" Louwina voelde dat ze warm werd, ze kon echter niet zelf zien hoe fel de blos was die zich op haar wangen aftekende. Dat ontging Bart echter niet en toen Louwina in een reflexbeweging ook nog eens haar hoofd boog als schaamde ze zich, vroeg hij verbaasd: „Wat reageer je eigenaardig? Je wilt me toch hopelijk niet vertellen dat je die vreselijke kerel mist?"

Eerder had Louwina voor zichzelf besloten dat ze Bart niets zou vertellen over het bezoek van Anton, maar nu moest ze op dat besluit terugkomen. Ze kon noch wilde liegen tegen een integere man als Bart was en hief haar gezicht weer naar hem op. En heel zacht zei ze: „Ik ben helaas nog niet van hem verlost... Vanochtend stond hij opeens voor de deur en voordat ik er erg in had zat hij in de huiskamer. Het was heel eng, ik was weer net zo bang voor hem als vroeger..." Ze nam een slokje van haar wijn en na nog een korte aarzeling vertelde ze aan Bart wat er precies was voorgevallen, en hoe ze op slinkse wijze veertien dagen tijd had weten te rekken. „Natuurlijk hoefde ik geen maatregelen te treffen, ik had die tijd alleen nodig om op de thuiskomst van Wout en Marjet te wachten. Ik weet niet hoe het moet, niet waar dit op uitdraait, wat ik echter meer dan zeker weet is dat ik Carmen nooit ofte nimmer vrijwillig naar Anton zal brengen! Echt waar, Bart, ik zou haar nog geen vijf minuten alleen met hem durven laten! Ik snap overigens niet wat hem plotseling bezielt, want hij heeft nooit om Carmen gegeven. En nu wil hij haar opeens om de zoveel tijd een weekend bij zich hebben. Dat valt toch niet te rijmen...?"

Bart was niet zuinig van het nieuws geschrokken. „Ik denk dat we dit niet als een leuk grapje mogen beschouwen," zei hij bedachtzaam, „hier steekt meer achter." Hij kon niet verder gaan, want Louwina onderbrak hem.

„Wat denk jij, Bart, heeft Anton recht op Carmen? Stel dat hij alles op alles zet...?"

„Ik weet het eerlijk gezegd niet," zei Bart weifelend. „Het kind is weliswaar van hem, maar jullie waren niet getrouwd en Carmen draagt jouw achternaam. Voordat ik er iets zinnigs over kan zeggen zal ik mijn licht erover moeten opsteken. Ik wil je niet bang maken, ik moet je echter wel voor die man waarschuwen. Dat hij geen lieverdje is weten we allemaal, maar wat hij momenteel in zijn schild voert is voor ons helaas een raadsel. Totdat

Wout en Marjet terug zijn moet jij uiterst voorzichtig zijn. Zoals ik daarstraks achterom naar binnen kon lopen, zo zal een ander dat ook kunnen! Je moet er voorlopig op letten dat je, zeker 's avonds, de deuren goed afsluit. Ik vind het opeens bar vervelend dat jij hier alleen bent. Zal ik Klaartje bellen om te zeggen dat ik hier vannacht blijf slapen?"

Louwina wist niet hoe snel ze moest zeggen: „Het is lief van je om meteen zo bezorgd te zijn, maar ik red me heus wel! Ik laat me niet door ene Anton Schuitema op de kast jagen. Dat deed ik vroeger, maar zo'n stomme gans wil ik nooit meer zijn! Bovendien is er vooralsnog geen reden voor paniek, want ik blijf erop vertrouwen dat hij de eerste tijd niets van zich zal laten horen. Nou, en dan zijn Wout en Marjet allang weer thuis en zal Wout de zorgen om mij van jou overnemen. Ik vind het heel erg vervelend, bijna gênant, dat ik opnieuw voor problemen zorg..."

Haar beschaamde blik raakte Bart en troostend zei hij: „Maar meisje toch, daar kun jij immers niets aan doen! De schuld ervan ligt opnieuw louter en alleen bij Anton Schuitema! Wout zal het vierkant met me eens zijn als ik zeg dat het niet meer dan een vriendenplicht van ons is om jou te helpen en te beschermen. Je mag wel van me weten dat ik blij ben dat Wout en Marjet al over een paar dagen weer thuis zullen zijn!"

„Ik kijk nu ook verlangend naar hen uit," bekende Louwina en toch weer schuldbewust voegde ze eraan toe: „Ik vind het min van mezelf dát ik zo denk, ik weet immers dat Marjet dit uitje hard nodig heeft..."

„Als Marjet op het moment wist dat jij en Carmen hier niet meer veilig waren, zou ze rennend naar huis terugkomen," voorspelde Bart. Louwina knikte en zacht zei ze: „Wout en Marjet, jij en Klaartje, jullie zijn het beste wat mij ooit is overkomen. Ik voel het als een kostbaar bezit, vrienden te hebben op wie je kunt bouwen. Jullie zijn alle vier even eerlijk als lief."

„Wij waren een vierspan, totdat jij in ons leven kwam. Nu zijn we met ons vijven vrienden voor het leven! Jij hoort er inmiddels helemaal bij en geloof maar van mij dat wij samen sterk genoeg zijn om eventuele snode plannen van Anton Schuitema vroegtijdig de kop in te drukken! Zijn kwaad kan niet op tegen het goede tussen ons. Ik zie dat je me op mijn woord gelooft, want je lacht weer de lach die wij van je gewend zijn!"

„Je bent een regelrechte lieverd, Bart Brouwer, maar nu wil ik dat je naar huis gaat, want anders vraagt Klaartje zich misschien af waar je blijft en maakt zij zich zorgen. Ga maar gauw, ik red me heus wel! Vergeet niet Klaartje van me te groeten en geef Martijn een knuffeltje van me!"

„Je bent een dapper meisje," prees Bart. Hij stond op, maar voordat ze afscheid namen informeerde hij nog: „Hoe is het met Jelmer Douma, wiens hulp Wout tijdelijk heeft ingeroepen? Ik mag toch hopelijk aannemen dat hij jou niet in de steek laat?"

Louwina wierp hem een misprijzende blik toe. „Als jij Jelmer beter kende zou er geen argwaan in je op kunnen komen! Jelmer is bijzonder plichtsgetrouw en bovendien een heel erg aardige man. En hij mag mij ook, want anders zou hij niet hebben gevraagd of ik eens bij hem en zijn vrouw op bezoek kwam als Wout en Marjet terug zijn. Ik heb beloofd dat ik dan gauw eens zou komen aanwippen en dat doe ik ook zeker. Want weet je, Bart, ik heb een beetje boel medelijden met Jelmer," bekende ze, trouwhartig kijkend. Op Barts vraag of ze daar reden toe had, vertelde ze hem alles wat ze wist over Jelmers zoon, Clemens Douma. Ze besloot de uiteenzetting met een vraag. „Vind je het niet treurig, niet zielig voor die mensen dat hun enige zoon hun zoveel verdriet bezorgt?"

Bart knikte bevestigend, en de ingeving die plotseling als uit het niets door zijn hoofd flitste verzweeg hij voor Louwina, maar later die avond sprak hij erover met Klaartje.

Klaartje had aandachtig naar Barts verhaal over Louwina zitten luisteren, en toen hij zweeg en hij haar verwachtingsvol aankeek, zei zij: „Aan de uitdrukking van je gezicht te zien, moet ik nu iets begrijpen wat ik echter niet begrijp. Wat probeer je me duidelijk te maken?"

„Snap je het echt niet, of haal ik me soms dingen in het hoofd die er niet zijn? Het leek me anders allemaal zo logisch." Hij zweeg heel even waarna hij verder ging. „Toen Louwina mij vertelde over het bezoek van Anton en dat hij dingen van haar wist die hij goedbeschouwd niet weten kon, begreep ik meteen dat hij Louwina liet schaduwen door een van zijn kompanen. Broeders uit de onderwereld. Vlak voordat we afscheid namen vertelde Louwina het verhaal waar ik jou daarnet deelgenoot van maakte, over Clemens Douma. Louwina was nauwelijks uitverteld toen ik als bij intuïtie wist dat Clemens Douma en Anton Schuitema heimelijk met elkaar in contact staan. Op de een of andere manier speelt Clemens de nieuwtjes over Louwina, Wout en Marjet door aan Anton. Op dit dorp kent iedereen elkaar bij naam en toenaam, het overlijden van oma Diny is als een lopend vuurtje door het dorp gegaan en dus ook bij Clemens terechtgekomen. En zo is het ook gegaan met andere zaken die Anton wist, doch van zichzelf niet weten kon. Vind je deze gedachtegang van mij niet vrij logisch?"

„Ja, nu je het zo zegt...?" Klaartje staarde een tijdje nadenkend voor zich uit tot ze Barts blik weer zocht. „Ik vind het eerlijk gezegd een griezelige boel en voor Louwina zal ik blij zijn als Wout terug is. Dan kan hij het tenminste voor haar opnemen, een vrouw alleen, zoals Louwina, is tegen een kerel als die enge Anton niet opgewassen. Stel toch eens, Bart, dat het hem lukt om Carmen bij haar weg te halen! Zo'n vent staat voor niets, het zou Louwina's ondergang betekenen. Ze houdt zo zielsveel van haar kleine meisje, Carmen is haar alles. Als je zelf moeder bent, kun je je er alles bij voorstellen, ik zou echt gek worden, hoor, als er iets met Martijn gebeurde! Arme Louwina. Waarom wordt ze niet met rust gelaten, na alles wat ze heeft meegemaakt verdient ze niet anders. Toch...?" Bart knikte.

„Ik ben het roerend met je eens, maar het gaat in het leven niet altijd zoals je denkt dat het moet gaan. Toen ik daarstraks bij haar zat had ik met haar te doen. Ze had zichzelf juist weer helemaal teruggevonden, ze was weer wie ze was voordat ze Anton leerde kennen. Een vrouw met pit, met karakter. Nu Anton haar het leven weer zuur probeert te maken, zag ze er weer uit zoals wij haar heel in het begin leerden kennen. Als een bang, schuchter vogeltje, verschrikkelijk kwetsbaar. Ik vraag me nu aldoor af of ik Wout niet moet bellen om hem op de hoogte te stellen van wat er is gebeurd. Aan de ene kant weet ik dat ik hun vakantie niet mag bederven, aan de andere kant ben ik bang dat hij het me kwalijk zal nemen als ik niet bel. Best moeilijk, ik weet nu even niet wat ik moet doen."

„Soms weet je gewoon niet wat het beste is, ik durf je geen raad te geven. Ik denk dat we alleen maar kunnen hopen dat Anton Louwina, zoals ze hebben afgesproken, voorlopig met rust laat. Met Clemens Douma kunnen we al helemaal geen kant op, we hebben enkel onze gissingen naar zijn adres, geen harde bewijzen. Hè, bah... waarom is alles nu opeens weer zo moeilijk?"

Bart sloeg een arm om haar heen, kuste haar en troostte: „Het komt wel weer goed, daar ben ik niks bang voor. Louwina staat er niet alleen voor, met ons vijven staan we sterk! We hebben wel voor hetere vuren gestaan, samen met Wout en Marjet, dat ben je toch niet vergeten?"

„Nee, natuurlijk niet, maar het ging juist allemaal weer zo fijn. Niet alleen met jou en mij en Wout en Marjet, maar ook met Claudia van Bruggen. De moeder van Getta, het jonge meisje dat destijds door Wout zou zijn vermoord. De werkelijke dader werd uiteindelijk gelukkig gevonden, maar het was een verschrikkelijke tijd waar we maar niet te veel op terug moeten kijken. Claudia heeft de liefde in haar leven gevonden bij Wiebe Boorsma, ik ben nog altijd blij met haar geluk. Nou, en Wouts zus, Maureen, is ook happy met de gang van zaken. Maureen is dolgelukkig dat Wiebe en Claudia bij haar zijn komen inwonen. Het huis boven haar Bowling- en Partycentrum was voor haar alleen ook veel te groot, bovendien is Maureen nu niet alleen, want daar kon ze slecht tegen. Alles kwam voor ons allemaal weer keurig op zijn pootjes terecht en nu hebben we opeens toch weer reden om ons zorgen te maken. Ik vind het zo jammer voor Louwina, dit gun ik haar echt niet."

„Ze was juist volop bezig plannen te maken voor haar toekomst," zei Bart hoofdschuddend, „ze wilde op zichzelf gaan wonen en een baan zoeken, maar gezien de omstandigheden van het moment lijkt het mij dat wij die plannen van haar nu maar liever niet moeten toejuichen! Zolang Anton Schuitema weer dreigend aanwezig is, zou het volgens mij veiliger voor haar zijn als ze bij Wout en Marjet bleef. Daar wil ik Wout op wijzen zodra de gelegenheid ertoe zich voordoet. Maar moeten wij nu zoetjesaan niet naar bed?"

„Ja, je hebt gelijk, het is morgen weer vroeg dag. Ik ben bang dat ik niet meteen zal kunnen slapen, maar het idee om veilig in jouw armen te liggen lokt me wel, moet ik zeggen." Ze hief haar gezicht naar Bart op, tuitte haar lippen en dat vragende gebaar was voor hem voldoende om haar een lange zoen te geven.

„Ik hou van je, zeg ik dat eigenlijk wel vaak genoeg tegen je?"

Voor Bart was het een serieus bedoelde vraag, maar Klaartje maakte er een spelletje van. „Nee, maar dat geeft niet, ik ken de reden ervan. Jij vindt mij wel lief en aantrekkelijk, maar stukken minder mooi dan Louwina. Dat feit weerhoudt jou ervan om tegen mij te zeggen wat ik graag wil horen. Dat is best weleens moeilijk voor mij..."

„Wat zit je nou te raaskallen, in alle opzichten ben jij voor mij de ideale vrouw en dat weet je maar al te goed!"

„Zou jij van een mooie, jonge vrouw als Louwina kunnen houden?"

Nu kreeg Bart door dat ze een spel speelde, dat ze hem uitdaagde. Hij besloot mee te doen. „Nou...? Het lijkt me voor een man bepaald geen straf om met zo'n mooi vrouwtje te mogen slapen. Want dát bedoel je immers!"

„Ja, daar dacht ik aan, maar jij had volmondig nee moeten zeggen op mijn vraag. Het idee dat jij het zou doen met een andere vrouw is voor mij bij voorbaat een regelrechte kwelling. Als ik er niet meer was, doordat ik kwam te overlijden, zou het anders zijn, dan zou ik het je graag gunnen. Ik hoop zelfs dat áls er iets met mij zou gebeuren, dat jij dan het geluk zou mogen terugvinden bij een lieve vrouw. Mooi of lelijk, dat doet er niet toe." Alsof ze hiermee gezegd had wat ze meende te moeten zeggen, zo nestelde ze zich vergenoegd tegen Bart aan. En ja, hij sloeg zijn armen om haar heen, maar tegelijkertijd viel hij kregelig tegen haar uit.

„Je houdt nu gelukkig je mond en ik hoop dat je dat voorlopig blijft doen! Ik heb een gloeiende hekel aan onzinnig gepraat, 'k wil zoiets vreselijks uit jouw mond nooit meer horen. Dat meen ik echt, hoor Klaartje!"

Zij giechelde meisjesachtig en vanwege de toon die Bart had aangeslagen speelde ze opnieuw. „Goed pa, ik zal voortaan een braaf meisje zijn. Is het dan nu weer goed en krijg ik als beloning een kusje?"

„O, jij, je bent onverbeterlijk! En onweerstaanbaar!"

Kort hierna lagen ze in bed en net als Bart was Klaartje nu ook weer de ernst zelve. Dat bleek toen ze, nadat ze elkaar een nachtzoen hadden gegeven, zacht zei: „We kunnen nu niet genoeg voor Louwina bidden, of had jij dat zelf al bedacht?"

Bart knikte bevestigend en streelde haar. „Je bent lief."

✽ 3 ✽

Eindelijk was de dag aangebroken waar ze allemaal naar uit hadden gekeken. In de loop van de middag van deze zaterdag waren Wout en Marjet naar huis teruggekomen. Om niet kinderachtig over te komen deden Gijs en Jorden hun best om niet te laten merken hoe blij ze waren nu hun ouders weer als vanouds aanwezig waren. De kleine Marieke was helemaal zichzelf, zij kende nog geen valse schaamte en was niet bij Marjet weg te slaan. Dat ze wel degelijk nadacht over bepaalde dingen liet ze merken toen Marjet op een gegeven moment opstond om naar het toilet te gaan. Toen barstte Marieke in tranen uit en snikte ze: „Niet weggaan, mama, jij moet bij ons blijven! Jij mag niet aldoor weg zijn zoals oma!"

Verlatingsangst, flitste het door Marjet heen. Zo klein als ze is heeft ze wreed moeten ervaren dat er zomaar iets kan gebeuren waardoor ze een stukje veilige zekerheid kan verliezen. Arm kleintje. Aangedaan tilde Marjet het meisje op en troostend zei ze: „Stil maar, mijn schatteboutje. Mama was alleen maar een klein poosje weg, nu ben ik er weer en ik beloof je dat als pappa en mamma nog eens met vakantie gaan, wij jou en de jongens meenemen. Is het dan nu weer goed?" Marieke was gerustgesteld, maar later op de dag ondervond Marjet dat er nog iemand was die haar had gemist. Toen ze samen met Wout en Marieke naar achteren ging om te kijken hoe het met de vele dieren was, sprong Karel, de Bordeaux-dog, niet alleen uitgelaten tegen haar op, maar jankte hij zachtjes toen Marjet tegen hem praatte en ze hem knuffelde. „Kijk nou toch," zei zij tegen Wout, „Karel reageert al net als Marieke, hij 'huilt' op zijn manier!" Wout glimlachte, en toen hij de hond aaide, lebberde Karel met zijn tong Wouts gezicht af. „Je bent braaf," prees Wout het dier, „maar je moet je niet zo aanstellen. Je bent de hele tijd niets tekortgekomen, Louwina heeft meer dan goed voor je gezorgd. Hoewel ze het drukker dan druk had, heeft ze jou tweemaal per dag uitgelaten. Daar durf ik mijn hand voor in het vuur te steken!"

Met Carmen in haar armen was Louwina Wout en Marjet achternagelopen, en ze ving nog net op wat Wout over haar had gezegd en haakte erop in. „Ik laat Karel toch ook altijd uit als jullie wel thuis zijn en dat is voor mij bepaald geen straf! Ik hou gewoon van dat lieve dier, toch moet ik ervoor oppassen dat ik geen dorpstypetje word," besloot ze lachend. Op Marjets vraag wat ze daar precies mee bedoelde, verduidelijkte Louwina: „Van de week, toen ik als gewoonlijk mijn ommetje maakte met Karel, werd ik staande gehouden door Thies de Winter. De al wat oudere man stapte van zijn fiets en nadat we een nietszeggend babbeltje hadden gemaakt, zei hij opeens dat hij zich over mij verbaasde. „Dat jij onderweg tegen die hond loopt te praten vind ik heel gewoon, wij doen thuis tegen onze kat hetzelfde. Waar ik me over verbaas bij jou is dat jij altijd precies dezelfde route aflegt. Door het dorp, maar zelfs in het park loop je over dezelfde paden! Mijn vrouw en ik zeggen weleens tegen elkaar: kijk, daar gaat Louwina weer met Karel, je zou haar blindelings kunnen volgen, want ze zet geen stap van haar koers af. Ben jij in alle opzichten zo rechtlijnig? Daar heb ik de goede man maar geen antwoord op gegeven," lachte Louwina, „en ik ben niet van plan om vanwege zijn opmerking mijn wandelingen met Karel te verleggen. Karel weet onderhand precies de weg en dat vind ik gewoon leuk. Als we in het park aankomen gaat hij zitten en kijkt hij me veelzeggend aan. Dan weet hij dat zijn riem af mag en dat hij naar hartenlust los rond mag dollen en snuffelen. Dat houden we dus zo, wat een ander er ook van zegt!"

„Gelijk heb je!" vond Wout, en met Karel op hun hielen liepen ze verder. „Jelmer heeft zijn werk goed gedaan!" prees Wout, „alles ziet er tot in de puntjes verzorgd uit." Even hierna opperde Marjet: „Het verschil tussen een hond en een kat is groot! Zoals Karel zijn gevoelens uitte, zo doen de katten net alsof ze niet gemerkt hebben dat wij er een poosje niet waren."

Daarop oordeelde Wout: „Wij lopen nu op het terrein van de katten! Hierachter is het hun domein, waar zij ons dulden, maar meer ook niet." Hij krabbelde het oude ezeltje achter zijn oren. „Hoe is het, mijn jongen, het valt niet mee om oud te zijn, hè? Dat geldt ook voor je vriend, de pony, die naast je in het afgebakerde landje loopt." Met de vrouwen in zijn kielzog inspecteerde Wout de overige dieren, hij verheugde zich over het feit dat het hangbuikzwijntje, dat behoorlijk ziek was geweest, weer helemaal de oude was. Dankzij zijn zorg en de juiste medicijnen. Weer liepen ze verder totdat ze stil bleven staan bij het lapje land waarop de paarden van Gijs en Jorden te vinden waren. Twee Haflingers, ze galoppeerden in volle draf langs de omheining, op hun ruggen zaten Gijs en Jorden. Te genieten, want ze straalden allebei, en Jorden schreeuwde tegen de toeschouwers: „Gijs is stikjaloers, hij kan me niet inhalen en daar baalt hij van!" Hij jakkerde door, Gijs bracht zijn paard tot stilstand en zei tegen Wout: „Het is pure onzin wat Jorden verkondigde, het ijzer van de linkerhoef van mijn paard zit een beetje los. Daar heeft hij last van, kun jij de hoefsmid voor me bellen?" Daarop wist Wout te zeggen: „Dat is niet nodig. Voordat mam en ik met vakantie gingen heb ik al een afspraak gemaakt. Hij komt maandagmiddag, tot zo lang zul jij even wat minder hard dan je broer kunnen rijden. Nog liever is het mij dat jij je paard tot dan niet berijdt. Hij moet overigens nodig worden geroskamd, zie ik, begin daar maar eens mee!"

Gijs trok een gezicht en mokte: „Jij ziet ook altijd alles!" Hij liet zich wel van zijn paard glijden en nam het aan zijn halster mee naar de stal om te doen wat Wout geadviseerd had.

En zo, met allerlei klusjes, kreeg ieder voor zich de dag om en werd het avond. Louwina had de hele dag aan Marjet gemerkt dat zij nog niet weer de oude was. Ze was stil en in zichzelf gekeerd en een paar keer, toen ze meende dat er niet op haar gelet werd, had Louwina gezien dat ze afwezig voor zich uit had zitten staren. Met een verdrietig gezicht waarop de zorgen zich hadden afgetekend. Arme Marjet, ze miste haar moeder nog zichtbaar, meende Louwina te kunnen veronderstellen.

Louwina had met haar te doen. Zij kon ook niet weten dat Marjet naast het verdriet om haar moeder te kampen had gekregen met andere zorgen. En al evenmin had Louwina het in de gaten gehad dat Wout haar die dag heimelijk had geobserveerd. Zoals zij zich bezorgd maakte om Marjet, zo had Wout aangevoeld dat er Louwina iets dwarszat. Vanavond, had hij besloten, als ook de jongens in bed liggen, moet ik haar maar eens voorzichtig polsen, want er is iets duidelijk niet in orde.

Het was net half elf geweest die avond, toen Wout, vanwege zijn eigen ongeduld, Gijs en Jorden beval: „Kom jongens, naar bed, het is jullie tijd!"

Jorden keek hem verbolgen aan. „Nu al, ik heb nog helemaal geen slaap!" Gijs probeerde zijn vader op zijn manier op andere gedachten te brengen. „Het is zaterdag, hoor pap, en dus belachelijk vroeg om ons al naar bed te sturen! Ik heb op school zat vrienden die op zaterdagavond naar de disco mogen, die komen pas tegen de ochtend naar huis! Dat is pas andere koek, daar hoor jij van op, hè!?"

Wout glimlachte mild. „Ik mag dan een oude vent zijn in jouw ogen, toch mag je van me aannemen dat ik heus weet wat er zich zoal afspeelt onder bepaalde jongeren. Maar dat is de zorg van de jongens over wie jij het had, van hun ouders vooral! Wij houden er andere wetten en normen op na en daar hebben jullie je heel gewoon stipt aan te houden. Maar vooruit, om niet al te streng te zijn, mogen jullie op je kamer nog een poosje televisie kijken of computeren, maar daar heb ik dan ook alles mee gezegd!" De blik die hij eerst Gijs, dan Jorden toezond liet geen twijfel bestaan. „Oké, ik ga al," zei Gijs met een verongelijkt gezicht. Hij stond landerig op, Jorden volgde zijn voorbeeld en nadat ze alle twee een nachtzoen hadden gekregen verlieten de jongens met ontevreden gezichten de huiskamer. Ze hadden de deur ervan nauwelijks achter zich dichtgetrokken toen Marjet opstond.

„Ik vind het toch een beetje zielig, het is voor de zaterdag inderdaad aan de vroege kant. Ik ga ze wat te drinken brengen en wat lekkers om op te knabbelen. Dan hebben ze het toch nog een uurtje een beetje leuk, hoop ik."

Wout schudde verbijsterd zijn hoofd en afkeurend mompelde hij hardop in zichzelf: „Vrouwen!" Louwina durfde, noch wilde zich ermee bemoeien, zij besloot alvast de drankjes voor hen drieën in te schenken en schaaltjes chips en nootjes op tafel te zetten.

Marjet was snel weer terug en toen ze haar blik over de salontafel liet gaan zei ze warm tegen Louwina: „Het is echt heel fijn dat jij mij vanuit jezelf, altijd zoveel werk uit handen neemt. Grotere en kleinere klusjes, ik waardeer het bijzonder!"

Louwina haalde haar schouders op. „Je moet me geen pluimpjes geven, het is niet meer dan normaal dat ik je help!"

Ze hield Marjets blik vast toen ze verder ging. „In het bijzijn van de kinderen wilde ik er niet naar vragen, maar ik ben erg benieuwd of jij in het huisje op de Veluwe de voor jou nodige rust hebt weten te vinden?"

Marjet schokschouderde. „Wout en ik, we hebben veel gewandeld, veel gepraat en nog meer gebeden. Dat is het enige zinnige wat ik nog voor mam kan doen. Ik krijg haar er echter niet mee terug. Ik mis haar nog even erg als voor ons uitstapje, wat dat betreft hadden we net zo goed thuis kunnen blijven. Waarschijnlijk was dat zelfs beter voor me geweest, want dan had ik me de pijn kunnen besparen die ik voelde toen we weer thuiskwamen. Het eerste wat ik zag was mams lege stoel... Het is zo moeilijk allemaal," besloot Marjet met een snik in haar stem en vochtige ogen.

„Ik wou dat ik niet zo machteloos hoefde toe te kijken. Ik zou je zo verschrikkelijk graag daadwerkelijk willen helpen," zei Louwina aangeslagen. Marjets verdriet sloeg over op haar, en met de rug van haar hand wiste ze snel langs haar ogen. Ze nam haar wijnglas van de tafel, nipte eraan en op dat moment hoorde ze Wout tegen Marjet zeggen: „We kunnen het Louwina maar beter vertellen, het kan immers toch geen geheim blijven?"

Marjet knikte. „Zeg jij het maar aan haar. Ik ben zo moe van alles..."

Alsof Louwina aanvoelde dat er iets ergs in de lucht hing, zo sloeg ze een paar vragende ogen vol van angstige voorgevoelens op naar Wout. Hij nam een slokje van zijn cognacje, en om tijd te rekken hield hij het langer in zijn mond dan normaal. Nadat hij het dan toch doorgeslikt had, stak hij van wal. Zijn stem klonk even dof als zijn ogen stonden toen hij plompverloren met de deur in huis viel. „Tijdens onze vakantie merkte Marjet dat ze een knobbeltje in haar linkerborst heeft..."

Louwina sloeg van schrik een hand voor de mond, haar ogen leken eens zo groot toen ze murmelde: „O, goede God, laat het niet waar zijn... Ben je er al mee naar een dokter geweest?"

Marjet schudde ontkennend van nee. „Ik had er geen zin in om ginder een vreemde arts te raadplegen, maandag maak ik meteen een afspraak met onze eigen huisarts. Het was een enge gewaarwording, ik ben dan ook best wel bang..." Nadat ze zich een adempauze had gegund ging ze verder. „Misschien valt het allemaal wel mee en is het een goedaardige cyste. Dat hoop ik, daar vraag ik onophoudelijk om... Het kan gewoonweg niet dat ik opeens borstkanker heb," viel ze furieus uit. „Niet na alles wat wij in het verleden al meegemaakt hebben, niet zo kort na het overlijden van mam! Er kan bij mij even niks meer bij, dat is toch logisch! En hoe moet ik mij goed houden tegenover de kinderen, terwijl ik me hartstikke rottig voel? Ik wil dit niet, ik kan het niet aan..." Marjet sloeg haar handen voor haar gezicht en huilde geluidloos. Louwina snelde op haar toe. Ze ging naast Marjet op de bank zitten en nam haar koude handen in die van haar. „Stil maar, rustig nou maar. Je gaf het net zelf al aan, en misschien valt het echt wel mee. Je moet niet meteen aan het ergste denken. Jullie geloven zo allesoverheersend in God, als Hij dan werkelijk zo goed is als jullie mij aldoor willen doen geloven, dan zal Hij niet eens willen dat jij er nieuwe zorgen bij krijgt. Ach, misschien zeg ik nu in mijn onbenul allemaal domme dingen, maar ik wil zo graag iets voor je kunnen betekenen. Ik weet alleen niet hoe, dat is echt een allerbelabberdst gevoel."

Marjet had zich weer hersteld, ze schonk Louwina een bibberend lachje dat bemoedigend over moest komen. Wout had de beide vrouwen ondertussen stil geobserveerd, nu keek hij Louwina aan. „Ik denk, Louwina, dat wij jou nu meer nodig hebben dan je zelf kunt vermoeden!" Zij wierp hem een vragende blik toe die Wout niet meteen kon beantwoorden, omdat Marjet op dat moment zacht zei: „Als jullie het niet erg vinden, ga ik naar bed. Ik voel me geradbraakt, mijn lampje is gewoonweg uit."

„Kruip er dan maar lekker in," adviseerde Wout. Hij zond haar een liefdevolle blik en zei begrijpend: „Het was voor jou ook een enerverende dag. Je bent vanochtend vroeg opgestaan en je ging meteen aan het poetsen omdat je het huisje per se netjes achter wilde laten. Daarna volgde de terugreis naar huis en daar vroegen de kinderen waarschijnlijk meteen meer van je dan jij aan kon. Ga maar lekker slapen, als je maar niet gaat liggen piekeren!"

„Ik zal het proberen," beloofde Marjet met een mager lachje. Ze stond op en nadat ze Wout een nachtzoentje op zijn mond had gedrukt, hielp ze hem ietwat gejaagd aan iets herinneren. „Wij hebben het er de laatste dagen meerdere malen over gehad, vergeet straks niet aan Louwina te vragen wat wij zo graag willen!"

„Wees maar niet bang, dat nieuws ligt op het puntje van mijn tong!" Gerustgesteld door die woorden van Wout verliet Marjet de huiskamer, maar ze had de deur nauwelijks achter zich dichtgetrokken toen Louwina naar Wout opkeek en bewogen zei: „Marjet mag van jou niet gaan piekeren, volgens mij zal ze het wel doen. Ik vind het zo erg, voor Marjet, maar ook voor jou! Marjet had zo-even volkomen gelijk; ik vind ook dat jullie in het verleden al meer dan genoeg te verstouwen hebben gekregen."

Wout haalde in een verloren gebaar zijn schouders op. „Vanzelfsprekend laat het mij geen moment los, toch wil ik niet meteen aan het zo zwaarbeladen woord kanker denken. Vooralsnog ga ik ervan uit dat het mee zal vallen en zo niet, dan hoop ik dat we de nodige kracht zullen mogen krijgen om het aan te kunnen. Ben jij overigens niet benieuwd naar wat ik jou van Marjet moest vragen?"

„Ja, en niet zo zuinig ook!" bekende Louwina, „stel de vraag dus maar gauw!"

Tot Louwina's verbazing hoorde ze Wout zeggen: „Ik ben op onze afspraak teruggekomen, ik vraag je dus niets, ik zeg gewoon dat wij passende woonruimte voor jou hebben gevonden!"

Louwina kleurde van opwinding. „Voordat jullie op vakantie gingen liet jij al vaag iets doorschemeren over zelfstandige woonruimte voor mij! Is het heus, Wout, heb je een huisje voor me gevonden?"

„Een huis is wellicht wat te veel gezegd, Marjet en ik willen dat jij de voormalige vertrekken van Marjets moeder als je nieuwe huis gaat beschouwen! Verhuizen betekent voor jou dus alleen maar dat jouw spulletjes van de kleine logeerkamer die je nu samen met Carmen in gebruik hebt, overgebracht worden naar beduidend ruimere vertrekken. Lijkt het je niet fijn om een grote zitkamer te hebben, een ruime slaapkamer, een eigen badkamer plus een eigen kamertje voor Carmen? Natuurlijk lacht dit je toe en zul je niet tegensputteren!"

Ondanks zijn veelzeggende blik waar bovendien iets dwingends in lag, had Louwina meteen een weerwoord klaar. „Het is lief van je om te kennen te geven dat ik jullie hier niet voor de voeten loop. Waar ik me echter over verbaas is het feit dat jullie niet schijnen te snappen dat ik voor mijn gevoel niet langer van jullie goedheid mag profiteren! Al de maanden dat ik hier bij jullie ben heb ik de kost voor mezelf en Carmen voor het kauwen gehad. Ik kan niet zo gauw kijken of Marjet heeft alweer een vracht wegwerpluiers voor Carmen in huis gehaald, en al het overige dat er voor haar verzorging nodig is. Zo komt ze ook regelmatig met leuke kleertjes voor Carmen thuis en toen Marjet en ik onlangs een dag naar de stad zijn geweest kocht zij niet alleen nieuwe kleren voor zichzelf, maar ook voor mij! Natuurlijk was ik daar verschrikkelijk blij mee, maar ik voelde me tegelijkertijd hopeloos bezwaard. Ik kan en wil niet op de zak van een ander teren. Het stuit me verschrikkelijk tegen de borst dat ik almaar dank je wel moetn zeggen. Toe nou, dat is toch niet zo moeilijk te begrijpen!?"

Wout moest lachen om de bestraffende blik die ze hem toewierp, maar hij was een en al ernst toen hij antwoordde: „Zoals Marjet en ik jou begrijpen en aanvoelen, zo zou jij nu een beetje meer aan ons moeten denken! Wij weten inmiddels dat jij op eigen benen wilt staan, dat je niet langer afhankelijk wilt zijn van ons. Voordat wij er even tussenuit gingen waren Marjet en ik het erover eens dat we je moesten helpen met het zoeken naar passende woonruimte en een baan. Daar hebben we niet moeilijk over gedaan, dacht ik, Marjet heeft toen zelfs aangeboden dat zij op Carmen wilde passen als jij naar je werk was. Toen oma Diny zo plotseling overleed werd alles voor ons echter opeens anders, toen wisten wij meteen dat haar vertrekken van jou zouden worden.

Nu Marjet een knobbeltje in haar borst heeft en we niet weten wat ons boven het hoofd hangt, is opnieuw alles anders geworden. Nu kunnen wij niet in de eerste plaats voor jou zorgen – wat we met zoveel liefde deden – maar moeten we bij jou aankloppen om hulp. Begrijp je wat ik bedoel, waar ik heen wil, Louwina?"

Zij mompelde, verlegen kijkend: „Ja, ik voorvoel wel iets, maar..." Wout nam het woord weer van haar over. „Ik heb al eerder gezegd dat jij niet half beseft hoe hard wij jou nu nodig hebben. Vooral omdat onze trouwe hulp Femmie heeft opgezegd en het moeilijker is dan wij dachten om een geschikte plaatsvervangster voor haar te krijgen, ziet Marjet het allemaal niet meer zitten. Dat liet ze merken in ons vakantiehuisje op de Veluwe. Ik schrok me naar van de zorgen die zij zich maakte. We hebben er uiteraard meteen over zitten praten, het werd echter geen dubben of gissen, we vonden al heel snel een oplossing waar we allemaal mee gediend zijn! We hoeven geen nieuwe Femmie te zoeken, want jij neemt haar plaats in. Nee, nu druk ik me verkeerd uit, als Marjet erbij was zou zij me bestraffend op de vingers tikken, want zij noemde jou onze nieuwe 'Femmie'. Voor jou betekent het een interne, betaalde baan! Daar zul jij geen nee tegen kunnen zeggen, tenzij jij liever in een supermarkt of iets dergelijk wilt werken. Ik heb navraag gedaan over het salaris dat voor dat soort banen geboden wordt, ik kan je zeggen dat jij bij ons meer kunt verdienen." Wout noemde het bedrag van een maandloon en keek Louwina verwachtingsvol aan. Zij bloosde licht, maar besloot er niet meteen op in te gaan. In plaats daarvan zei ze: „Nu Marjet het zo moeilijk heeft zou ik ontzettend graag iets voor haar willen betekenen, dat heb ik al eerder gezegd en ik meen het uit de grond van mijn hart. Ik zou volmondig ja zeggen op jouw aanbod, ware het niet dat ik..." Ze zweeg heel even, en toen ze haar ogen weer opsloeg naar Wout, bekende ze eerlijk: „Ik verdenk jullie ervan dat je deze oplossing in de eerste plaats voor mij hebt verzonnen. Ik ben ervan overtuigd dat jullie heus wel een goede hulp zouden kunnen vinden, maar op deze manier proberen jullie voor mij en Carmen te kunnen blijven zorgen. Dat hele lieve van jullie ten opzichte van mij heeft me aldoor al ontroerd, nu weet ik me er eerlijk gezegd geen raad mee. Ik wil niet ondankbaar overkomen, maar ook zeker niet als een parasiet die uit gemakzucht neemt wat-ie krijgen kan. Begrijp je me een beetje, Wout...?"

Hij had naar haar uiteenzetting zitten luisteren, maar tegelijkertijd hadden zijn gedachten niet stilgestaan. Nu Louwina zweeg verwoordde hij zijn gedachten. „Er is een tijd in mijn leven geweest dat ik mijn geloof, en dus God, de rug toekeerde. Gelukkig herkende ik op een gegeven moment Gods goedheid weer en mocht ik als voorheen ervaren dat wij als mens geleid worden en dat alles is voorbestemd." Hier keek hij Louwina recht aan en praatte hij verder. „Alles is voorbestemd, daar ben ik voor mezelf van overtuigd. Herinner jij je nog dat ik je uit het huisje haalde waar je woonde met Anton? We raakten toen aan de praat, gingen dieper op de dingen in. Jij zei dat je het niet kon bevatten dat alles weer goed leek te komen met jou en ik antwoordde dat het allemaal zo had moeten zijn. Op dat moment voelde ik heel scherp aan dat jij bewust en met een bepaald doel naar ons toe was gestuurd. Hoewel het waarom ervan voor mij een vraagteken was, durfde ik tegen jou te zeggen dat de tijd er uitsluitsel over zou geven. Ik beloofde toen dat ik jou, als het zover was, aan die woorden van mij zou helpen herinneren. Die tijd is nu aangebroken, Louwina," zei hij bewogen, „ik weet nu heel zeker dat jij naar ons toe moest komen. Ik dacht toen eerlijk gezegd dat ik opnieuw een jong meisje in bescherming moest nemen. Nu blijkt echter dat jij kwam omdat wij elkaar eens heel hard nodig zouden hebben. Daarom Louwina, stel ons, maar vooral God niet teleur en zeg alsjeblieft ja op wat ik je zopas vroeg en aanbood! Zeg ja opdat we er in de nabije toekomst voor elkaar kunnen zijn."

Louwina zweeg geruime tijd en toen ze haar ogen opsloeg naar Wout zag hij er tranen van ontroering in glinsteren. Die weerklonken in haar zachte stem. „Het raakt me meer dan ik kan verwoorden als ik jou, en Marjet evengoed, zo over God hoor praten. Ik ben inmiddels al diverse keren met jullie mee naar de kerk geweest, maar ik ben bang dat ik daar niet voel wat jullie voelen. Ik kan niet bidden of in mezelf praten tegen Iemand van Wie ik niet weet of Hij het op prijs stelt dat ik in de kerk mijn best zit te doen, terwijl ik er tot dusverre weinig van terecht heb gebracht." Ze keek Wout als om hulp vragend aan en hij kon niks beloven, alleen maar naar eer en geweten oordelen.

„Dat jij er graag bij wilt horen, je best ervoor doet, is voor God al meer dan genoeg. Wacht maar rustig af, op een keer zul je ervaren dat het heel gemakkelijk is om van Hem te houden. Als je hart ervoor openstaat, komt de rest vanzelf. Dát durf ik te voorspellen, kun jij mij dan nu een belofte geven?"

Louwina had zich in stilte al gewonnen gegeven, ze schonk Wout een lachje. „Ik heb nooit durven dromen dat er zo'n mooie baan voor mij zou zijn weggelegd. En ik verruil maar wat graag mijn kleine slaapkamertje voor de mooie, ruime vertrekken van oma Diny. Dank je wel, Wout enne... ik zal mijn uiterste best doen om net zo goed voor jullie te zijn als jullie de hele tijd voor mij en Carmen waren. Moeten wij niet ook naar bed, we kunnen hier toch moeilijk blijven zitten praten?" voegde ze er in één adem aan toe.

„Ja, het wordt onze tijd, al moet ik zeggen dat het gesprek de gewenste vruchten heeft afgeworpen! Vanwege jouw ja zijn Marjet en ik geholpen, en van de andere kant bekeken ben ik maar wat blij dat we al doende toch nog een beetje op jou en je kleine meid kunnen letten. Dat lijkt mij namelijk geen overbodige luxe, ik heb je vandaag heimelijk geobserveerd en zo kwam ik tot de conclusie dat er jou iets dwarszit. Vergis ik me daarin?"

Nauwelijks merkbaar schudde Louwina haar hoofd en zacht zei ze: „Anton is bij me geweest. Hij stond volkomen onverwacht voor de deur en opeens zat hij breeduit in de huiskamer. Je hebt het goed gezien, Wout, ik ben niet helemaal mezelf. Maar dat komt louter en alleen omdat Anton me heel bang heeft gemaakt. Bart is ook nog op bezoek geweest op een avond, aan hem heb ik alles verteld. Het was een opluchting dát ik het aan iemand kon vertellen en Bart vond ook dat we er gerust zwaar aan mochten tillen, want dat een man als Anton tot alles in staat is. Dat ben jij met hem eens, nietwaar?"

„Anton Schuitema is in mijn ogen een regelrechte bandiet, laten we dat vooropstellen. Maar nu wil ik graag van jou horen wat Bart al blijkt te weten!"

„O, ja..." Louwina hapte naar adem, vervolgens vertelde ze Wout uitvoerig, tot in de details, over de kwestie 'Anton Schuitema'. Aan het eind gekomen van haar ellenlange relaas sloeg ze haar mooie ogen die nu vol angst stonden op naar Wout en fluisterde ze met trillende lippen: „Hij heeft zijn zinnen gezet op Carmen, dat idee laat me niet los, maakt me verschrikkelijk bang... Hij krijgt haar niet, nog voor geen vijf minuten, als hij dát maar weet!" viel ze strijdlustig uit, om er kleintjes achteraan te zeggen: „Ik ben alleen zo bang dat hij sterker, slimmer zal zijn dan ik. Wat kan ik doen, Wout, om mijn kind te beschermen tegen die vreselijke man...?"

„Verdraaid-nog-aan-toe," verzuchtte Wout geschrokken, „dit is iets waar ik goed over na moet denken. Ik ben het met Bart eens dat we niet voorzichtig genoeg kunnen zijn. Uit je verhaal begreep ik dat hij jou terug wilde en toen hij in de gaten kreeg dat hij dat wel kon vergeten, gooide hij het over een andere boeg. Dat hij Carmen mist is klinkklare onzin, hij gebruikt haar enkel om chantage te plegen op jou. Had ik maar een pasklare oplossing, dat is helaas niet het geval. Vooralsnog kunnen we niet veel meer doen dan afwachten totdat hij zich weer bij je meldt. Dan pas kunnen we plannen beramen tegen eventuele verdere verwikkelingen. We kunnen wel alvast afspreken dat jij de telefoon voorlopig niet, of zo weinig mogelijk opneemt. Dat zal ik ook tegen Marjet zeggen. Jullie moeten de telefoon de komende tijd gewoon laten rinkelen, nadat die zoveel keer is overgegaan wordt hij automatisch overgeschakeld naar mijn mobieltje. Als ik achter ben bij de dieren, heb ik dat altijd bij me. Dan zie ik wel wat ik tegen dat heerschap zeg of verzwijg. Tjonge, al wat ik verwacht had, dit zeker niet. Ik had die vent al helemaal afgeschreven. En nu duikt hij opeens weer op, ik kan niet zeggen dat ik hier blij mee ben."

Wout keek donker, op zijn voorhoofd verscheen een diepe zorgrimpel en die deed Louwina beschaamd zeggen: „Je weet niet half hoe erg ik het vind dat ik jullie opnieuw belast met mijn problemen. Vooral vanwege het erge dat Marjet zo plotseling is overkomen, zou het stukken beter zijn geweest als jullie mij niet hadden leren kennen. Maar toch, hoe tegenstrijdig het ook mag klinken omdat ik er voorheen andere gedachten op nahield, ben ik nu heel dankbaar dat ik gewoon hier bij jullie mag blijven. Met Anton als een dreigende factor op de achtergrond zou ik ergens in mijn eentje geen rustig uur kunnen hebben. Vrees ik..."

Daarop zei Wout in volle ernst: „Nu Anton Schuitema opeens weer ten tonele is verschenen en ik terdege besef dat jij en Carmen niet veilig zijn, zou ik je voor geen prijs hebben laten vertrekken. Ook al had jij daarstraks nee gezegd op de vraag van Marjet en mij, dan zou ik je toch, desnoods met geweld, hier hebben vastgehouden! Je hebt gelukkig ja gezegd, daar concludeer ik uit dat het ook tot jou is doorgedrongen hoe hard wij elkaar nodig hebben. Het was geen toeval dat onze wegen elkaar destijds kruisten, we moesten elkaar leren kennen! Ben je dat zoetjesaan met me eens?"

Louwina knikte van ja en onder de indruk zei ze: „Wat

het geloof betreft begrijp ik veel nog niet, echter al wel dat wij ten opzichte van Hem niet genoeg ons best kunnen doen om een goed en eerlijk leven te leiden." Wout zond haar een bemoedigende blik en kort hierna wensten ze elkaar een goede nachtrust.

Wout ging ervan uit dat Marjet al sliep, en om te voorkomen dat ze zou wakker schrikken van hem, sloop hij de slaapkamer binnen. Hij was bezig de deur geruisloos achter zich dicht te doen toen hij Marjet een beetje lacherig hoorde zeggen: „Je gedraagt je als een dief in de nacht, maar ik slaap nog niet, hoor!"

„Dat noem ik jammer!" Wout kleedde zich uit, in bed nestelde Marjet zich dicht tegen hem aan. „Kon je niet slapen, lieverdje, lag je toch weer te piekeren?" vroeg Wout bezorgd.

„Ik kan het niet van me afzetten, daar is niets tegen te doen. Ik liet de slaap echter ook niet toe omdat ik vreselijk benieuwd ben naar Louwina's reactie. Wat zei ze, Wout...?"

Het deed hem deugd dat hij haar gerust kon stellen. „We hoeven geen vervangster voor Femmie te zoeken, Louwina helpt jou het huis netjes te houden. De vertrekken van je moeder zullen niet pijnlijk leeg blijven staan, ze gaan bewoond worden door Louwina en Carmen. Het gaat precies zoals jij en ik het ons wensten en zo zie je maar weer dat bepaalde zorgen eenvoudig zijn op te lossen. Ben je tevreden, meisje van me?"

„O, ja! Maar ook als ik geen knobbeltje in mijn borst had ontdekt, zou ik er niet aan moeten denken dat Louwina bij ons wegging. Daar heb ik niet eerder zo eerlijk voor uit durven komen omdat ik haar zelfontplooiing niet in de weg wilde staan. Ik ben van haar gaan houden, ze hoort gewoon bij ons. Zij en de kleine Carmen. Wil je geloven, Wout, dat ik dat kleine, betoverend mooie meisje ook een beetje als mijn kindje ben gaan beschouwen? Dat is waarschijnlijk wat sentimenteel uitgedrukt, het is echter een voldongen feit dat ik voor alle twee die lieverds graag nog een poosje een oogje in het zeil wil houden. Louwina mag dan weer een pittige vrouw zijn geworden, maar soms prik ik daar doorheen en dan zie ik toch weer iets kwetsbaars aan haar. En zo vergaat het jou ook. Dat weet ik zeker, want ik ken je!"

Wout glimlachte toegeeflijk, en hij besloot Marjet voor het slapengaan niets te vertellen over ene Anton Schuitema. Wat niet weet dat niet deert, morgen was het er nog vroeg genoeg voor. „Je moet nu toch heus proberen te gaan slapen." Hij boog zich over haar heen, schoof de halsopening van haar nachthemdje opzij en uiterst behoedzaam beroerde hij met zijn lippen haar linkerborst. Voor hem was het niet meer dan een gebaar uit louter liefde, en hij schrok toen hij Marjet hoorde fluisteren: „Nu kun je er nog een zoen op geven, zeer binnenkort waarschijnlijk niet meer. Denk je dat het een eng gezicht is, een vrouw met maar één borst...?"

Waarschuwend legde Wout gehaast een vinger tegen haar lippen, en vanwege de emoties die hem bestormden fluisterde hij schorrig: „Wees stil, zeg en vraag zoiets nooit meer! Ik hou van je omdat jij Marjet bent. De moeder van mijn kinderen, voor mij ben jij de ideale vrouw. Met of zonder borsten, dat maakt voor mij geen verschil. Voor mij zul jij altijd mooier zijn dan wie ook. Toe, schatje, geloof dat van me en alsjeblieft, denk niet meteen het allerergste."

Berouwvol zei Marjet zacht: „Ik moet mijn nieuwe last nog leren dragen, vergeef me dat ik mijn angst op jou overhevelde met woorden die ik voortaan vroegtijdig zal inslikken. Sorry, Wout..."

Deze schudde vertwijfeld zijn hoofd. „Ik wil niet dat jij je bij mij verontschuldigt! Ik zou me diep moeten schamen als ik jouw emoties nu niet aanvoelde. Een vrouw ziet haar borsten immers als sieraden waar ze trots op is. En die van jou zíjn juweeltjes..." Dat hij ook maar een mens was met alle zwakheden van dien, liet Wout blijken toen hij met verdacht vochtig wordende ogen en een schorre stem kermde: „O, Marjet, waarom moet dit erge op ons pad komen?”

Zij kon hem niet troosten, ze kon alleen maar met hem mee huilen.

✾ 4 ✾

Er waren op de kop af drie weken voorbijgegaan. Louwina stond weer alleen voor de zorg om de vier kinderen en het huishouden, want Marjet lag in het ziekenhuis. Hoewel ze allemaal, zelfs Louwina, voor haar gebeden hadden, mocht het geen goedaardige cyste zijn, maar was bij onderzoeken gebleken dat het kwaadaardig was. De klap was hard aangekomen en wonderlijk genoeg leek Marjet momenteel de dapperste van hen allemaal. Zij had telkens haar best gedaan de anderen moed in te spreken. „We mogen allang blij zijn dat ik niet op een lange wachtlijst geplaatst werd, ik werd binnen de kortste keren geholpen en dat scheelde voor ons allemaal een boel spanningen vooraf!" Dat Marjet zo verbazend snel geholpen was hadden ze te danken aan hun huisarts, dokter Boskoop. Hij, op zijn beurt, was dik bevriend met Marjets behandelende geneesheer dokter Zaagman. Daar hadden Marjet en de haren voordeel mee gehad, want dankzij de bemiddeling van hun huisarts was Marjet tien dagen geleden al geholpen. Het was een borst besparende operatie geweest en daar was vooral Marjet uiteraard zielsgelukkig mee. En ook de goede boodschap dat 'alles' was weggehaald, had hen allen tot tranen toe bewogen. Ze had de eerste chemo-kuren al gehad, er zouden er nog meer volgen waardoor ze een pruik zou moeten dragen, die al aangemeten en in de maak was. Die boodschap zorgde ervoor dat er opnieuw veel moest worden weggeslikt en dat er ditmaal tranen moesten worden gedroogd die niks met geluk van doen hadden. Ondanks veel verdriet klampten ze zich vast aan de opbeurende woorden van dokter Zaagman. Hij troostte Marjet dat het dragen van de pruik tijdelijk zou zijn, dat ze na verloop van tijd haar eigen haar weer zou kunnen borstelen en verzorgen. Ze putten vooral moed uit zijn bewering dat er geen uitzaaiingen waren en dat Marjet over een paar dagen het ziekenhuis mocht verlaten. Op gezette tijden moest ze vanzelfsprekend terugkomen voor de noodzakelijke controles en in het begin helaas voor nog enkele chemo-kuren. Bij ondervinding wist Marjet ondertussen dat ze daar heel beroerd van werd. Zo hadden betere en slechtere berichten elkaar de laatste weken afgewisseld, de emoties ervan waren hen geen van allen in de koude kleren gaan zitten. Gijs en Jorden waren opvallend stil, ze liepen rond met gezichten die veel te ernstig stonden. Marieke vroeg onophoudelijk wanneer mamma thuiskwam, en op een avond, toen Wout haar naar bed bracht, had ze hem en zichzelf getroost. „Mamma gaat niet naar oma, zij komt héél, héél echt weer bij ons terug. Ja, hè pap…?" Wout had het kindje hartstochtelijk gekust en haar bezworen dat Marjet weer thuis zou komen. De angst waar het kleine meiske opnieuw mee worstelde ging hem door merg en been.

Omdat Wout zo veel mogelijk bij Marjet in het ziekenhuis wilde zijn had hij weer een beroep gedaan op Jelmer Douma. Tussen zijn diensten op de bus door, nam hij Wout veel werk uit handen, en net als eerder was de man blij met weer een extraatje. Louwina had het drukker dan tijdens de vakantie van Wout en Marjet. Toen had ze alleen de zorg om de kinderen en het huishouden, nu moest ze herhaaldelijk ook nog gastvrouw zijn. Bart en Klaartje gingen niet alleen op bezoek bij Marjet in het ziekenhuis, ze kwamen ook regelmatig even bij haar kijken. „We mogen jou nu niet verwaarlozen, als we iets voor je kunnen doen moet je het zeggen, hoor Louwina!" Het was lief en goedbedoeld, maar Louwina zei steevast overtuigend dat ze het best aan kon.

„Gaan jullie er maar rustig bij zitten, dan schenk ik koffie in." Ze maakte het voor haar bezoekers zo gezellig mogelijk, en als ze weer waren vertrokken haalde zij de schade weer in. Dan moest ze echt een paar flinke stappen harder lopen, dat gold vooral als er logés waren geweest. Zo had Wouts zuster, Maureen, een paar nachtjes bij hen geslapen en na haar waren Claudia en Wiebe Boorsma gekomen om Marjet op te zoeken. Ook zij waren om Wout te steunen en voor de gezelligheid een nachtje gebleven voordat ze weer naar hun dorp in Friesland waren gegaan. Voor Louwina betekende het extra drukte, maar er kwam geen klacht, zelfs geen zucht van vermoeidheid over haar lippen. Ze was alleen maar blij dát ze zich nuttig kon maken voor Wout en Marjet, ze ervoer het als ontroerend dat iedereen zich ook zorgen maakte om haar. Wout had de mensen die hem dierbaar waren op de hoogte gesteld van haar sores met Anton Schuitema, daarna waren woorden van troost en goedbedoelde raadgevingen niet van de lucht geweest. Ontzettend lief, vond Louwina, maar toch besefte ze dat ze deze niet geringe zorg grotendeels zelf zou moeten dragen. Ze prees zich gelukkig dat ze Anton voorlopig van zich af had weten te schudden.

Kort nadat Marjet in het ziekenhuis was opgenomen was datgene gebeurd waar ze aldoor bang voor was geweest. Op een middag was de telefoon overgegaan. Ze had hem niet kunnen laten rinkelen totdat hij op Wouts mobieltje werd overgeschakeld, want Wout was op dat moment bij Marjet geweest. Ze had opgenomen, de stem aan de andere kant van de lijn zou ze uit duizenden hebben herkend. „Hier ben ik dan! Ik hoef niet te vragen hoe het met je is, ik weet inmiddels al dat jullie behoorlijk in de problemen zitten!" Vals grinnikend had hij er achteraan gezegd: „Borstkanker is niet niks, maar ja, wat wil je: ieder mens krijgt wat hij of zij heeft verdiend, nietwaar!"

Als het in haar vermogen had gelegen zou Louwina hem iets hebben kunnen aandoen om die gemene opmerking, ze had zich weten in te houden en afstandelijk gezegd: „Jij zal het kunnen weten, je meende altijd alles al beter te weten dan wie ook. Je laat me dus nog steeds schaduwen, anders zou je niet kunnen weten dat Marjet in het ziekenhuis ligt. Nou ja, daar hoor ik al niet meer van op, als jij maar begrijpt dat je voorlopig nog geduld zult moeten hebben."

„Je wilt me toch niet vertellen dat je onze afspraak vergeten bent!"

„Nee, maar ik heb momenteel even nergens tijd voor, mijn dagen zijn tot aan de nok toe gevuld."

„Dat komt doordat je een stomme truttebol bent! Jij laat je nog steeds uitbuiten door dat volk waar jij huizenhoog tegen opkijkt! Wout Speelman, de voormalige veearts, is werkelijk stinkend rijk. Dáár zou jij eens wat meer bij moeten stilstaan. Als jij een klein beetje slimmer was, zouden wij van hun rijkdom mee kunnen profiteren. Dat komt niet eens in jouw hoofd op, maar dat geeft niet. Binnenkort zijn wij weer bij elkaar en dan zal ik je leren hoe eenvoudig het is om je vingers achter veel geld te slaan! Wout Speelman heeft te veel van het goede, jij en ik zullen er in de nabije toekomst een beetje van afnemen en er met veel genoegen 'feest' van gaan vieren!"

Louwina wist nog precies hoe ze haar walging voor hem nauwelijks had kunnen onderdrukken, ze snapte nog steeds niet waar ze de kracht en de moed vandaan had gekregen om zo gewoon mogelijk te kunnen zeggen: „Jij hebt het toch al zo goed, het ging je voor de wind, heb je me verteld. Ik neem aan dat jij in een kast van een huis woont" – had ze gebluft – „waarom zou jij een ander dan nog willen bestelen? Waar woon je eigenlijk, dat kun je toch wel zeggen?"

„Ergens in de stad Groningen, je komt er vanzelf achter waar precies. Ik heb trouwens liever dat jij wat minder nieuwsgierig bent, je weet dat ik een hekel heb aan dat soort vrouwen!"

„O, ja... ik weet nog precies hoe jij bent. Dat je niks, maar dan ook helemaal niks om Carmen gaf, zal ik niet eens kúnnen vergeten. Je geeft nog steeds niets om haar, want haar naam komt niet over je lippen! Je liegt als je zegt dat je haar mist, waarom wil je haar dan om de zoveel tijd bij je hebben? Zeg me dát dan in ieder geval...!" Ze wist nog dat ze haar adem had ingehouden van louter spanning en dat ze haar oren niet had durven geloven toen ze hem had horen kwelen: „Zal ik dan eens heel eerlijk zijn? Omdat jij het bent?" Voordat zij haar mond had kunnen opendoen was Anton verder gegaan. „Je hebt gelijk, ik geef totaal niets om het kind. Wat mij betreft had dat lastige mormel niet geboren moeten worden. Ik heb geen belang bij haar, maar des te meer bij jou! Ik wil jou terug, Carmen zal ik dan op de koop toe moeten nemen. En wat ik eerder zei, dat het mij goed ging, is niet helemaal waar. De junks willen zelf steeds meer geld zien voor hun gestolen goederen, dat betekent dat er voor mij minder aan de strijkstok blijft hangen. Het is toch warempel te gek voor woorden dat ik moet lopen sappelen, terwijl een ander geld in overvloed heeft!? Nou, daar gaan jij en ik samen verandering in brengen! Ik zal je leren wat jij moet doen om Wout Speelman een beetje armer te maken en onszelf te verrijken. Ben ik zo eerlijk en duidelijk genoeg geweest, truttebol?"

Van ongekende schrik en weerzin had zij naar adem moeten happen, ze had op haar benen staan trillen. Niettemin had ze kwaad in de hoorn geroepen: „Nooit, Anton Schuitema, nooit van mijn leven zal ik meedoen aan jouw duistere praktijken! En luister goed, want nu zal ik ook eerlijk tegen jou zeggen dat ik geen moment van plan ben geweest om Carmen bij jou te brengen! Ik heb je een poos aan het lijntje proberen te houden, nu weet jij waar je aan toe bent. Hoor je wat ik zeg: ik wil niets, helemaal niets meer met jou te maken hebben! Je moet me met rust laten, dat is het enige wat ik van jou verlang!" Na die woede-uitval had ze de hoorn op het toestel moeten gooien, dan had ze zijn bedreigingen tenminste niet gehoord. „Zo, zo, die toon van jou ben ik niet gewend. Die zal ik je dan ook rap moeten afleren zodra ik weer zeggenschap over je heb. Want die tijd komt, is al dichterbij dan jij kunt vermoeden! Zodra mij verteld wordt dat Marjet uit het ziekenhuis is ontslagen, bel ik je weer. En mocht je dan nog steeds over de euvele moed beschikken om tegen mijn wil in te gaan, dan zul je wat beleven! Voor jou is mijn wil nog altijd wet en mocht jij die aan je laars willen lappen, dan zul je daarvoor gestraft worden. Jij en die rijke stinkers met wie je omgaat! Je bent gewaarschuwd, Louwina, als jij niet wilt dat er misschien zelfs bloed gaat vloeien, kun je maar beter doen wat ik van jou eis! Tot horens, truttebol!" Na die vreselijke dreigementen had hij de verbinding verbroken, zij had zich geen raad geweten en een tijdlang wezenloos voor zich uit zitten staren. Bang, echt doodsbang, had ze zich afgevraagd wat hij had bedoeld toen hij zei dat er wellicht bloed zou kunnen vloeien. Was hij... een moord aan het beramen? Maar op wie dan? Carmen... Hij gaf niets om Carmen, hij had haar een mormel genoemd zoals hij haar steeds aansprak met dat vreselijke woord truttebol. O, Anton, laat mijn kindje met rust en goede God, help me. Ik ben zo bang. Toen het tot haar was doorgedrongen dat ze een vurig schietgebedje naar boven had gestuurd, had ze zich beschaamd gevoeld. Want het hoorde vast niet zo, had ze bedacht, dat je Hem alleen aanklampte als je in nood verkeerde. Wat moest Hij nu van haar denken...

Zelf had ze daarna heel lang zitten nadenken en was ze tot de slotsom gekomen dat ze dit afschuwelijke voor Wout moest verzwijgen. Hij had al zoveel zorgen om Marjet, daar mocht zij die van haar niet bij doen. Tot dusverre had zij Antons bedreigingen daadwerkelijk geheim weten te houden en dat Wout echt meer dan genoeg had aan zijn eigen sores bleek wel, want het viel hem niet op dat zij bij tijd en wijle op haar tenen liep en opkomende huilbuien met moeite kon onderdrukken. Ze was voortdurend bang, vooral als ze alleen thuis was. Vanmiddag bijvoorbeeld, toen Gijs, Jorden en Marieke naar school waren, Carmen haar middagslaapje deed en Wout gewoontegetrouw naar het ziekenhuis was, had zij een zucht van opluchting geslaakt toen ze merkte dat Jelmer Douma achter aan het werk was. Gelukkig, was het door haar heen geschoten, als er nu iets gebeurt, kan ik Jelmer roepen. Er was niks gebeurd, en toen Jelmer klaar was en hij dat kwam zeggen, had ze hem vanzelfsprekend een kop koffie aangeboden. In de keuken waren ze aan de praat geraakt en in tegenstelling tot Wout had Jelmer wel iets aan haar opgemerkt. Op een gegeven moment had hij haar peilend aangezien en gezegd: „Je ziet er betrokken, zelfs een beetje slecht uit. Het lijkt warempel wel alsof je in korte tijd zichtbaar bent afgevallen. Maar ja, het mag geen wonder heten dat het eten je niet smaakt, want jullie hebben heel wat te verduren! Het is een vreselijke ziekte die Marjet heeft getroffen, daar lijden jullie vanzelfsprekend allemaal onder. Wij hebben met jullie te doen, Annelies en ik. Daar kopen jullie weinig voor, dat zie ik wel in."

Zij had hem een lachje gezonden en gezegd: „Dat zie jij dan toch heus verkeerd, want elke vorm van meeleven doet ons goed! Je zou eens moeten weten hoeveel bloemen Marjet inmiddels heeft gekregen van mensen uit het dorp. Ook prachtige kaarten – waaronder twee van jullie! – met hartverwarmende teksten. Die blijken van meeleven laten Marjet niet onberoerd, en toen ik de laatste keer bij haar op bezoek was en ze een paar van die kaarten voorlas, moest ze er een beetje van huilen. Verder is ze bijzonder dapper, een dezer dagen mag ze naar huis. Wanneer precies, dat hoort Wout vanavond. Ieder van ons hoopt stilletjes dat Wout haar morgen al op mag halen, je begrijpt dat het hier dan feest is!"

Jelmer had begrijpend geknikt en ietwat zwaarmoedig gezegd: „Toch draagt ook dit huis nu opeens het zogenaamde kruisje. Met kanker weet je nooit waar je aan toe bent. Ook als het goed blijft gaan, kun je pas over een jaar of vijf over werkelijke genezing spreken." Beschaamd had hij er in één adem achteraan gezegd: „Hoe kan ik me nou zo lomp uitdrukken! Sorry, meisje, het was niet mijn bedoeling jou bang te maken voor wat er in de toekomst zou kunnen gebeuren."

Ze had hem gerustgesteld. „Het geeft niet, wat jij zei wisten wij al. Marjets arts, dokter Zaagman, is zo open als een boek. Wout en Marjet willen trouwens dat er niets voor hen verzwegen wordt en zodoende zijn er voor hen geen geheimen wat betreft Marjets ziekte. We gaan ervan uit dat het goed zal blijven gaan, Marjet zegt zelf dat een positieve instelling het halve werk is." Omdat ze toen liever over iets anders had willen praten had ze aan Jelmer gevraagd of het bij hem thuis allemaal naar wens verliep. Hij had geschokschouderd. „Als je Clemens bedoelt, kan ik niet anders dan zeggen dat er voor Annelies en mij veel te wensen overblijft. Qua gezondheid hebben wij geen klagen en dan mag je je al gezegend rekenen. Annelies heeft het overigens zeer op prijs gesteld dat jij je belofte aan mij hebt gehouden en dat je ons laatst met een bezoekje vereerde! Samen met die kleine meid van je, Annelies was helemaal weg van haar! Onze deur blijft wagenwijd voor je openstaan, al begrijpen wij heus wel dat jij de komende tijd over weinig vrije tijd zult kunnen beschikken."

Daar had zij bevestigend op gereageerd. „De operatie heeft uiteraard het nodige van Marjet gevergd, maar ook geestelijk heeft ze veel te verduren gehad. Als ze weer thuis is, zal ze veel moeten rusten en krijg ik het inderdaad nog wel een poosje druk. Onderling hebben wij al afgesproken dat we haar zo veel mogelijk moeten ontzien en dat we haar op alle fronten zullen opvangen. Dat komt wel goed, ik wou, Jelmer, dat jij en je vrouw je wat minder zorgen hoefden te maken om je zoon. Je noemde zijn naam daarstraks even en je trok er zo'n donker gezicht bij dat ik spontaan medelijden met je kreeg. Is er nog steeds geen vooruitzicht op betere tijden?"

Jelmer schudde zijn hoofd, zijn stem klonk schamper. „Wat heet: het gaat eerder hollend achteruit. Clemens

verloor het verschil tussen mijn en dijn al geruime tijd geleden uit het oog, dat hij zijn eigen moeder daar niet in ontziet hebben wij tot dusverre niet willen geloven..."
De man had een diepe zucht geslaakt en ongevraagd verteld: „Annelies had een bloedkoralen armband. Vier strengetjes, ze waren bevestigd aan een sierlijk bewerkt, gouden slotje. Ze was er zeer aan gehecht, want het was een erfstuk van haar overleden moeder. Onlangs ontdekte ze tot haar ontsteltenis dat het doosje, waar het in opgeborgen lag, samen met de inhoud weg was. Hoewel het ons de nodige moeite kostte omdat het idee ons verschrikkelijk tegen de borst stuit, hebben we Clemens om opheldering gevraagd. Het is niet te geloven, niet te bevatten," besloot Jelmer hoofdschuddend.

„Gaf hij het toe dan? Wat zei hij...?"

„Dat hij het had weggenomen en had verkocht omdat hij geld nodig had. Wat moet je dan, het is alweer gebeurd. Op straat schoppen die vent, wordt er tegen ons gezegd, maar die stap gaat ons te ver. Hij is ons kind en Annelies en ik weten dat hij dit vreselijke, uitzichtloze leven diep in zijn hart verfoeit. Voor ons schaamt hij zich, als je gezien had hoe hij huilde om dat armbandje, hoe hij alsmaar stamelde dat het hem speet... Zo'n grote lummel, bij wie de tranen van berouw over zijn wangen lopen, dat beeld raakt je als ouder onmenselijk diep. De pijn ervan is niet onder woorden te brengen. Maar kom, ik moet weer opstappen," had hij zichzelf onderbroken, „ik moet me nog douchen en omkleden, want over een dik halfuur moet ik weer op de bus zitten. Jij wordt bedankt voor de koffie en... voor je luisterend oor."

„Heel veel sterkte, 'k heb met jullie te doen." Toen ze weer alleen was had ze bedacht dat het gewoon stom van haar was dat ze geen troostwoorden met wat diepere inhoud had weten te spreken. Graag willen helpen, maar het niet kunnen. Dat machteloze gevoel was bijzonder onprettig. Arme Jelmer, arme Annelies. Moest ze daar eigenlijk niet arme Clemens aan toevoegen...?

Vanwege Jelmers verhaal over zijn zoon en het akelige telefoongesprek met Anton, had Louwina meer om over na te denken dan haar lief was. Gelukkig kwam er die avond blij nieuws, want toen vertelde Wout dat hij Marjet de volgende ochtend naar huis mocht halen. Gijs en Jorden reageerden uitgelaten op het goede nieuws, Marieke stak haar duimpje in de mond en keek Wout bedenkelijk aan. Het was van haar gezichtje af te lezen dat ze dacht: eerst zien, dan geloven. Wout trok haar bij zich op schoot en met zijn armen beschermend om het kleine vrouwtje heen, keek hij Gijs en Jorden beurtelings aan. „Vergeten jullie de komende tijd niet wat we hebben afgesproken? Dat jullie in huis rustig moeten zijn zodat mamma niet extra vermoeid raakt?" Allebei beloofden ze hun best te zullen doen, Jorden kon niet nalaten zijn vader aan nog een gedane belofte te herinneren. „Die keer, toen wij al beloofd hadden dat we heel lief voor mam zouden zijn, heb jij gezegd dat het feest zou zijn als mam thuiskwam. Jij zou dan voor bloemen zorgen en voor taartjes, pas maar op dat jij dát niet vergeet!"

Wout ging er quasi geschrokken op in. „Wat goed van je, mijn jongen, dat je mij daaraan helpt herinneren, bedankt, hoor! Voordat ik mam morgenochtend ga halen ga ik eerst bij de bakker langs en bij de bloemist, zij zullen dan in de loop van de morgen de bestelling bij Louwina afleveren."

„Je mag gerust extra veel gebakjes bestellen," opperde Gijs, „want ik weet nu al wel haast zeker dat oom Bart en tante Klaartje bij mam op visite zullen komen. En misschien komt tante Maureen ook en Claudia en Wiebe!"

„Dat zou niet wenselijk zijn," vond Wout. „Het gebeurt trouwens niet, want ik ga hen straks allemaal bellen om het goede nieuws te vertellen en dan vraag ik of ze mam de eerste dagen een beetje rust willen gunnen. Ze houden van mam en dus zullen ze alle begrip tonen."

Kort hierna bracht Wout Marieke naar haar bedje, en

een paar uur later gebood hij de jongens er ook in te kruipen. Alsof zij nu alvast een beetje aan het oefenen waren voor morgen, zo sputterden ze niet tegen, maar stonden ze, veel te braaf voor hun doen, meteen op. Nadat ze Wout en Louwina welterusten hadden gewenst met de gebruikelijke kus en ze het vertrek hadden verlaten, merkte Louwina op: „Als de jongens zich de komende tijd zo timide blijven gedragen, vraag ik me af of dat vreemde gedrag Marjet ten goede zal komen. Ik denk eerder dat zij zich zorgen zal maken om Gijs en Jorden. Jij niet dan?"

Wout glimlachte goedig. „Ze lopen nu zichtbaar op hun tenen, maar ik ken ze en weet dat ze dit niet lang vol zullen houden. Zodra ze eraan gewend zijn dat Marjet weer gewoon thuis is, zullen zij heel snel weer gewoon zichzelf zijn. Let maar eens op!"

Daarop pareerde Louwina veelzeggend: „Jij hebt ooit eerder een voorspelling uitgesproken die bewaarheid werd, hoe zou ik je dan nu durven tegenspreken!"

Wout begreep ogenblikkelijk waarop zij doelde. „Het doet me deugd dat jij bent gaan inzien dat toevalligheden niet bestaan, dat wij gezamenlijk verder moesten gaan!"

„Alles is voorbestemd," echode Louwina hardop. Ze zocht Wouts blik en praatte verder. „Ik heb daar de afgelopen tijd veel over nagedacht en elke keer na zo'n diepe overpeinzing kwam ik voor mezelf tot de conclusie dat het leven een wonder genoemd mag worden. Ik hoop dat dat iets met geloven van doen heeft, want heel misschien ben ik dan toch een stukje op de goede weg. Waarschijnlijk komt die hoop van mij voort uit het feit dat jullie mij onophoudelijk het goede voorbeeld geven en ik graag wil zijn als jullie. Echt waar, Wout," zei ze aandoenlijk trouwhartig, „jullie zijn niet alleen erg aardig en lief, maar soms gewoon te goed voor deze wereld. Dat weet God dan toch ook, desondanks heeft jullie huis nu opeens ook een kruisje. Daar had Jelmer het vanmiddag namelijk over, hij heeft zijn hart weer een beetje bij me uitgestort."

„Jelmer en Annelies Douma hebben het moeilijker dan een buitenstaander kan bevroeden," oordeelde Wout. „Heeft Clemens soms weer iets uitgehaald dat Jelmer aan jou kwijt moest?"

„Ja, en het was niet niks wat hij me vertelde." Hierna bracht Louwina verslag uit over het verdwenen bloedkoralen armbandje van Annelies, en ze besloot het verhaal met: „Ik vind het meer dan triest dat die mensen zo zwaar gebukt moeten gaan onder de zorgen om hun enige zoon, maar je staat er machteloos tegenover."

Daar was Wout het roerend mee eens. „Ik weet voor mezelf dat ik Jelmer een ruim uurloon uitbetaal, dankzij zijn zoon is het voor hem echter een druppel op een gloeiende plaat. Het enige wat ik kan doen is aan hem vragen of hij mij een beetje wil blijven helpen. Dan kan hij tenminste rekenen op een vast extraatje. Er is ook eigenbelang bij, moet ik bekennen, want als Jelmer mij werk uit handen neemt, krijg ik de beschikking over meer vrije tijd die ik aan Marjet kan besteden. Jij had het zopas over tranen van berouw die over Clemens' wangen hadden gestroomd, die neem ik eerlijk gezegd met een korreltje zout. Als hij werkelijk spijt heeft en hij het leven dat hij leidt verfoeit, zou hij zich onder behandeling kunnen stellen. Daar heb ik het al eens met Jelmer over gehad, maar zoals Jelmer toen al zei: ze kunnen Clemens niet tegen zijn wil in laten opnemen om van zijn verslaving af te komen. Dat moet hij zelf willen, anders heeft het totaal geen zin. Clemens Douma," zei Wout bedachtzaam, „ik denk dat ik wel zo ongeveer weet aan wie hij de armband van zijn moeder heeft verkocht!" Op Louwina's vragende blik zei hij: „Een poos geleden heeft Bart mij erop geattendeerd en ik moet zeggen dat hij het weleens bij het rechte eind zou kunnen hebben. Want hoe kan Anton Schuitema weten wat er hier bij ons gebeurt als hij niet haarfijn op de hoogte gehouden wordt door iemand uit ons dorp!? Die iemand is Clemens, dat kan haast niet anders en dat betekent dat hij en Anton elkaar kennen en contacten onderhouden. Dat is voor Jelmer en Annelies niet best, wij hoeven ons gelukkig geen zorgen meer te maken over de dreigementen die Anton tegen jou uitsprak. Achteraf bezien was dat je reinste bluf, want tot dusverre heeft hij niets meer van zich laten horen. Nou, en daar zijn wij niet rouwig om, wel dan?" De brede lach die bij dat laatste op zijn gezicht verscheen, verdween als sneeuw voor de zon toen hij zag dat Louwina beschaamd haar hoofd boog en hij haar hoorde prevelen: „Ik wilde het voor je verzwijgen omdat jij momenteel zorgen genoeg hebt, maar nu voel ik me gedwongen het toch te zeggen..."

Zij zweeg, en Wout spoorde haar aan: „Kom, Louwina, jij mag voor ons niets geheimhouden, zeker niet als de naam Anton Schuitema eraan te pas komt. Heeft hij zich opnieuw aan je opgedrongen, heb je hem voor de tweede keer gezien en gesproken?"

„Nee, nee, dat gelukkig niet! Hij heeft alleen gebeld, op een middag toen jij bij Marjet in het ziekenhuis was. Hij bluft niet, Wout, het is allemaal bittere ernst...!" Nadat ze een moedeloze zucht had geslaakt vertelde ze uitvoerig over het telefoontje dat haar zo bang had gemaakt. En dat ze bang was bleek toen ze, nadat ze uitverteld was, met grote angstogen fluisterde: „Hij had het over bloedvergieten... ik vrees dat hij tot het ergste in staat is..."

Wout was niet zuinig geschrokken, maar hij verborg voor haar die onbehaaglijke gevoelens door eerst dwingend te zeggen: „Jij mag nooit meer iets voor mij verbergen als het die vreselijke kerel betreft, laten we dat vooropstellen! Verder weet ik niet zo een-twee-drie wat ik hiermee aan moet. Jawel, de dreigementen zijn van dien aard dat ik de politie zou kunnen inschakelen. Maar daar voel ik eerlijk gezegd niet bar veel voor. Die weerzin komt voort uit het verleden toen ik ook tegen mijn wil met de politie in aanraking kwam... De gevolgen ervan zal ik niet kunnen vergeten, die waren rampzalig. Nooit weer wil ik in iets dergelijks verstrikt raken. En toch zal er iets moeten gebeuren, maar wat?"

Hier onderbrak Louwina hem. „Kunnen we Clemens niet aan de tand voelen, in overleg met Jelmer, bedoel ik?"

Wout schudde beslist van nee. „We weten niet of hij werkelijk in contact staat met Anton. Dat veronderstellen we slechts als een mogelijkheid die voor ons gevoel voor de hand ligt, maar dat is niet steekhoudend genoeg. Als we Clemens erover aan zouden spreken, dan zou hij in alle toonaarden ontkennen. Want of hij nou contact heeft met Anton of met een andere duistere figuur uit de onderwereld, het is Clemens ongetwijfeld duidelijk te verstaan gegeven dat hij nooit ofte nimmer zijn mond voorbij mag praten. Laat staan namen noemen! Nee, met Clemens schieten wij voorlopig niets op, ik ben bang dat we niet veel meer kunnen doen dan afwachten. Ik wou dat ik het adres van Anton had, dan ging ik hem absoluut opzoeken, maar dat geeft hij jou niet. Zo slim is hij wel, de gluiperd." Wout staarde met een donker gezicht voor zich uit, en Louwina bracht aarzelend een mogelijkheid naar voren. „Misschien moet ik het spel meespelen, hem ogenschijnlijk op alle fronten zijn zin geven? Als ik in de stad bij hem in zijn huis ben, kan ik jou van daaruit bellen. Daar kun jij me dan vervolgens weer weg komen halen. Al met al weten we dan tenminste waar hij woont!"

Wout schrok zichtbaar. „Lieve help, meisje toch, hoe haal je het in je hoofd! Of ben je vergeten hoe je hier in het dorp met hem samenwoonde? Jij zult dan weer even bang zijn als toen en hij zal weer volkomen de baas over je zijn. Met alle nare gevolgen van dien. Zoiets moet je maar liever niet meer zeggen, laat de hele kwestie voorlopig maar over aan mij. In verband met Marjet zal ik de komende tijd meer in huis zijn dan anders het geval was.

Als hij dus belt, loopt hij kans mij aan de lijn te krijgen. Dat is momenteel mijn enige hoop, later zien we wel weer."

Hij schonk Louwina een bemoedigende blik die zij niet opving, want schuldbewust zei ze zacht: „Het is zo'n lamlendig gevoel, Wout, dat ik jou met mijn zorgen belast, terwijl alleen Marjet nu recht heeft op jouw lieve toewijding. Zeg maar liever niet tegen haar wat ik je over Anton verteld heb..."

Hij glimlachte. „Dat was ik ook zeker niet van plan! Marjet moet ontzien worden en jij, Louwina, moet eraan denken dat je er niet alleen voor staat! Vooralsnog is Anton Schuitema een schim op de achtergrond, een schaduw die ons nog niet bereikt heeft." Met deze woorden probeerde Wout zowel Louwina als zichzelf gerust te stellen. Het speet hem dat hij niet eventjes in de toekomst kon kijken, het verheugde hem echter dat de dag van morgen dichtbij was. Morgen nam Marjet haar plekje in het gezin weer in. Dan zou ze weer als vanouds vrouw en moeder zijn, maar vanwege de operatie, vooral de emotionele kant ervan, mocht hij geen moment vergeten dat Marjet nu kwetsbaarder was dan voor haar ziekte. Daar kwam nog bij dat ze het verlies van haar moeder nog niet kon verwerken, al met al kon hij niet voorzichtig genoeg met haar omgaan. Ik zal er voor je zijn, je met alle mogelijke liefde en goede zorgen omringen. Omdat ik je boven alles liefheb, jij mijn alles bent. Mijn leven. In Wouts donkere ogen verscheen een warme, tedere blik die zijn vrouw gold. Zijn liefdevolle gedachten aan haar verdreven de naam Anton Schuitema, evenals de zorgen die daarbij hoorden.

Het was Louwina ontgaan dat Wout in zichzelf gekeerd wegdroomde, want ook zij had zich overgegeven aan eigen gedachten en gevoelens. Die vertelden haar pijnlijk duidelijk dat zij Anton niet kon zien als een schim op de achtergrond of als een schaduw die onopgemerkt voorbij zou drijven. Voor haar geestesoog dook zijn gestalte op en die naderde haar. Heel doelbewust kwam hij steeds dichterbij...

Toen Marjet nog in het ziekenhuis lag had Louwina haar intrek al genomen in de voormalige vertrekken van oma Diny. De privacy die ze ermee verworven had vond ze bijzonder prettig en dat Carmen nu op een eigen kamertje sliep was voor hen allebei rustiger. Inmiddels was Marjet alweer ruim een week thuis. Ze gedroeg zich dapper, ze klaagde alleen maar over het feit dat ze zo snel moe was. „Dat kan ik gewoon niet uitstaan, het hoort niet bij mij!" Hoewel ze zich er niet voor schaamde, het hele dorp wist ten slotte wat er met haar aan de hand was, vond ze het dragen van haar pruik erg hinderlijk. Lelijk was hij zeker niet, hij had exact de kleur van haar eigen donkere haar en de kort geknipte coupe die haar opvallend goed had gestaan. Dat ze desondanks niet tevreden met de pruik was kwam vanwege het mooie, warme weer. Het was half juni, de temperatuur schommelde al dagen tussen de twintig en de vijfentwintig graden. Het was heel begrijpelijk, vond iedereen, dat het dragen van zo'n warme 'muts' nu bepaald geen pretje was. Op advies van Wout droeg Marjet in huis dan ook veelal een dun hoofddoekje, de pruik bewaarde ze voor als ze de deur uit moest. Tot dusverre had ze daar de moed nog niet voor kunnen opbrengen.

Deze ochtend zaten Wout, Marjet en Louwina al vroeg achter de koffie en dat Wout daar nog niet helemaal aan gewend was liet hij blijken door te zeggen: „Het is toch wel fijn, hoor, dat ik op Jelmers hulp kan blijven rekenen! Hij is gisteravond geweest, ik hoefde zopas enkel te voeren en te inspecteren of het goed ging met de dieren. Voorheen lukte het me niet om, zoals nu, al vóór tien uur rustig achter een bakje troost te zitten. Prettig is het wel, moet ik zeggen!" Hij keek Marjet warm aan en zij wist dat Wout bedoelde dat hij het prettig vond bij haar te kunnen zijn.

Louwina schonk voor de tweede keer hun kopjes vol, en voordat ze er weer bij ging zitten tilde ze Carmen uit de box en nam haar bij zich op schoot. Ze kuste het kindje en in een beschermend gebaar legde ze haar armen om Carmen heen. Dat er op dit moment veel door haar hoofd spookte liet ze blijken door tegen Wout te zeggen: „Je moet er toch niet aan denken dat er iets met zo'n onschuldig klein hummeltje zou kunnen gebeuren..." Ze had meer willen zeggen, maar Wout gaf haar een veelzeggend seintje door met een nauwelijks merkbaar hoofdknikje op Marjet te wijzen. Louwina begreep terstond wat hij ermee bedoelde, ze schaamde zich dat ze haar mond bijna voorbij had gepraat. Ze dachten allebei dat ze het op het kantje gered hadden, ze hadden Marjets opmerkzaamheid echter onderschat. Zij keek van de een naar de ander en verongelijkt zei ze: „Jullie doen onderling steeds zo stiekem, waar is dat voor nodig, vraag ik me af! Ik merkte heus wel, hoor Wout, dat jij Louwina daarnet het zwijgen oplegde en het is niet de eerste keer dat ik merk dat jullie iets voor mij verbergen. Telkens als de telefoon gaat is het net alsof jullie van schrik verstijven en steevast volgt er daarna tussen jullie weer zo'n vreemde blik van verstandhouding. Ik waardeer het bijzonder dat jullie allebei zo lief en zorgzaam voor me zijn, maar ik wil toch echt niet als een onmondig kind behandeld worden!" Hier leek ze een ingeving te krijgen, want ze veranderde plotseling van toon, haar stem klonk nu zacht. „Ik herinner me opeens onze afspraak van voordat ik naar het ziekenhuis ging...! Louwina en ik zouden de telefoon laten rinkelen totdat die overging op jouw mobieltje. De reden ervan heette Anton Schuitema. Door alle consternatie van de laatste tijd was ik de man volkomen vergeten, maar hij ons niet, vrees ik nu?"

Wout knikte en legde uit wat er gebeurd was, waar Anton mee had gedreigd. „We mogen de ernst van de zaak niet onderschatten, maar omdat jij genoeg aan jezelf had besloten Louwina en ik zijn dreigementen voor jou verborgen te houden. En zo hebben wij onlangs ook besloten dat we zo weinig mogelijk aan Jelmer moeten vertellen. Al is het voor ons ook nog zo onbeduidend, hij kan ermee naar huis gaan waar Clemens misschien zit mee te luisteren en hij zou het vervolgens weer kunnen doorvertellen." Op Marjets vragende blik vertelde Wout hoe en waarom ze Clemens ervan verdachten dat hij in contact stond met Anton. „We kunnen niets bewijzen, maar ook niet voorzichtig genoeg zijn," besloot hij. Marjet knikte begrijpend, en ze richtte zich tot Louwina.

„Nu begrijp ik de opmerking die jij daarstraks tegen Wout maakte over Carmen. Jij moet wel echt doodsbang zijn en dat zou ik ook zijn als een van mijn kinderen gevaar liep. Hè, bah... waarom laat die griezel ons niet met rust!"

Louwina zei in volle ernst: „Jullie kennen hem niet zoals ik hem ken. Ik weet dat hij het er niet bij laat zitten, dat hij echt tot het uiterste durft te gaan. Ja, ik ben bang, heel gek misschien, maar vooral 's nachts. Ik heb nog niet de gelegenheid gehad om het aan jullie te zeggen, maar vanochtend in alle vroegte heb ik Carmens bedje weer bij mij op de kamer gezet. Het idee dat ik op deze manier beter op haar kan letten verschaft me enige rust, toch weet ik nu al dat ik ook vanavond mijn ogen weer bijna niet dicht zal durven doen. Het is allemaal heel vervelend..."

„Nu druk jij je wel heel zacht uit," vond Marjet, „volgens mij mogen we het een angstaanjagend schrikbeeld noemen. Ik vind het verschrikkelijk dat jij uit louter angst je nachtrust niet krijgt, terwijl je het overdag smoordruk hebt. Dit kan zo niet, er moet een oplossing voor gevonden worden." Ze dacht maar heel eventjes na, toen lachte ze blij. „Ik héb het, ik weet wat we eraan moeten doen!" Ze maakt zich veel te druk, ze windt zich te veel op, dacht Wout bezorgd, maar net als Louwina hing hij aan Marjets lippen toen zij haar plan lanceerde. „Als Louwina 's avonds naar bed gaat, neemt ze Karel mee! Een betere bewaking kan zij zich niet wensen. Want áls er een onverlaat bij haar durft binnendringen, dan zal die, als-ie vanwege Karel het hazenpad kiest en op de vlucht slaat, toch op zijn minst een arm of been missen. Over bloedvergieten gesproken!”

Wout schoot in de lach om de manier waarop Marjet het een en ander overdreef. „Toe maar, een arm of een been nog wel! Kan het niet gewoon een bijtwond zijn?” In volle ernst zei hij erachteraan: „Maar jouw plan juich ik toe, het is voor Louwina werkelijk de oplossing!” Tegen Louwina ging hij verder: „We leggen straks een opgevouwen deken voor jouw bed en daar zal Karel de komende nachten heerlijk op slapen. Dat beest zal niet weten wat hem overkomt met zoveel voorrecht!”

Louwina haalde in een ietwat hulpeloos gebaar haar schouders op. „Dat is nou juist het punt waar ik mee zit. Het is hier bij jullie een wet van Meden en Perzen dat er absoluut geen dieren in huis mogen en nu moeten jullie daar voor mij op terugkomen. Ik zorg gewoon voor een boel overlast, daar ben ik me heel wel van bewust, hoor...!”

„Je moet je niet aanstellen,” zei Wout, en hij keek bestraffend. „Het hek zou inderdaad van de dam zijn geweest als wij die strenge regel meteen in het begin niet hadden ingesteld en toegepast. Marieke zou de katten binnenhalen, ik zie de jongens er voor aan dat wij de ezel en de pony in de achtergang zouden kunnen tegenkomen, Karel zou de hele dag nadrukkelijk aanwezig zijn. En zo zou ik nog wel even door kunnen gaan, want de konijnen worden door de kinderen als katten behandeld, ze knuffelen er net zo mee. Gezien de overlast, het vuil en de haren die ze in huis zouden brengen, hebben wij destijds de nodige voorzorgsmaatregelen moeten treffen. Maar in dit geval breekt nood bepaalde wetten. Karel mag uitsluitend ’s avonds naar binnen om op jou te passen, ’s morgens gaat hij meteen weer naar buiten, want anders zou hij het als een gewoonte gaan beschouwen die moeilijk weer af te leren is. Nou, meisjes van me," zei hij vergenoegd, „dan hebben we dit probleem dankzij Marjet toch maar mooi de wereld uit geholpen!" Hij was nauwelijks uitgesproken toen de telefoon overging en ze elkaar toch meteen weer een blik toewierpen. Zo vaak was het goed gegaan, nu bleek het Anton Schuitema wel degelijk te zijn. Tegen Wout, die had opgenomen, noemde hij niet zijn naam maar zei hij: „Ik moet Louwina Kemker spreken, is zij in de buurt?"

Wout had de stem van de man herkend. „Ik hoor dat jij het bent, Anton, maar ik moet je teleurstellen. Louwina is er op het moment niet, kan ik je boodschap aan haar overbrengen?"

Het bleef even stil aan de andere kant van de lijn, maar dan was hij er weer. „Ja, zeg maar aan haar dat ze morgenmiddag om klokslag twee voor het hoofdstation in Groningen moet staan, dan pik ik haar daar op. Ze verwacht een telefoontje van mij, ze weet er alles van."

Overhaast, voordat de man de verbinding kon verbreken, zei Wout scherp: „Zij niet alleen, ik ben ook op de hoogte! Jouw bedreigingen aan haar adres waren dusdanig ernstig dat ik de hulp van de politie zou kunnen inroepen. Wat jij tegenwoordig uitspookt weet ik niet, het zal in ieder geval niet veel goeds zijn. Want toen je nog bij ons op het dorp woonde kon datgene, waar jij je mee bezighield, geen daglicht verdragen en mensen als jij zijn vaak onverbeterlijk. Ik vermoed dan ook dat alleen al het woord politie jou kippenvel bezorgt. Is het niet, Anton Schuitema!?"

„Als je me kende, zou je weten dat ik niet gauw bang ben. Met jou heb ik trouwens niks te maken, het gaat mij louter om Louwina!"

„Dat weet ik, maar je kunt haar maar beter uit je gedachten zetten, want ze komt niet naar je toe. Morgen niet en nooit niet! Ik hoop dat ik zo duidelijk genoeg ben?"

„Ik kan nog duidelijker zijn door tegen jou te zeggen

dat jij gerust een toontje lager mag gaan zingen! Ik laat me door geen mens de wet voorschrijven, zeker niet door jou, een gewezen bajesklant! Man-nog-aan-toe, ik kan je maken en breken en ik zal ervoor zorgen dat jij spijt krijgt als haren op je hoofd omdat je tegen mij durft in te gaan! Jij denkt dat je Louwina kunt beschermen, maar dat lukt je van geen kanten. Kies dus maar liever eieren voor je geld, dat kun je doen door Louwina morgen naar me toe te sturen! Doe je dat niet, dan zouden er in jouw omgeving weleens heel vervelende 'ongelukjes' kunnen gaan gebeuren waar zelfs de politie machteloos tegenover zal staan! Wat nou, Wout Speelman, sta je nu te bibberen als een schoothond in het angstzweet?"

Het waren niet die woorden, evenmin het vals klinkende lachje erachteraan, maar het ene woord 'bajesklant' dat een ongekende woede in Wout had opgeroepen. Die spoog hij nu uit. „Jij bent in mijn ogen slechts een min, miezerig mannetje, hoe zou ik daar bang voor kunnen zijn! Doe gerust datgene wat je in je schild voert, als je er maar wel aan denkt dat je mij vroeg of laat zult tegenkomen! Verder wens ik geen woord meer aan jou vuil te maken, je bent de grootste schoft die ik ooit ben tegengekomen."

Hierna wilde Wout de hoorn op het toestel smijten, maar Anton weerhield hem ervan door het op een volstrekt andere toon over een heel andere boeg te gooien. „Wacht, blijf nog even hangen! Ik merk dat ik je kwaad heb gemaakt en dat was niet de bedoeling. Ik ben niet het loeder waar jij me voor aanziet, ik waardeer het dat jij goed bent voor Louwina. Enkel en alleen daarom zal ik je tegemoet komen en ben ik bereid een deal met je te sluiten waarmee je voorgoed van mij af bent. Als jij mij, laten we zeggen, tweehonderdduizend euro geeft, zal ik jullie het leven niet langer zuur maken. Dat kleine beetje geld mis jij niet en ik kan het gebruiken. Nou...?"

„Ach kerel, loop voor mijn part naar de pomp!" Wout kon zijn oren zowat niet geloven, en nu deed hij wat hij al eerder had willen doen. Met een meer dan nijdig gebaar kwakte hij de hoorn op het toestel. Marjet en Louwina staarden hem met open mond en grote, bange ogen aan. Hun ontsteltenis was echter niets vergeleken bij de ijzige, doordringende blik die Anton kreeg toegeworpen.

✽ 5 ✽

Ik laat me door geen mens de wet voorschrijven. Het waren de bijna gevleugelde woorden van Anton Schuitema. Nu leek hij echter in elkaar te krimpen onder een blik die hem onzeker maakte en hem zijn ogen deed neerslaan. De man die Anton wel degelijk vrees inboezemde, heette Appie. In de kringen waarin Anton verkeerde droeg deze Appie uit veiligheidsoverwegingen geen achternaam. Hij was wat je noemt een boom van een kerel, met een enorme 'stierennek'. Zijn hoofd was kaalgeschoren, aan allebei zijn oren hingen vier gouden ringetjes. Hij droeg witte sportschoenen, en een blauwe spijkerbroek met daarop een hemd zonder mouwen. Dit omdat hij op zijn manier ijdel was en wilde dat zijn omvangrijke bovenarmen goed zichtbaar waren. Die zaten immers niet voor niks vanaf de ellebogen tot aan zijn schouderbladen vol tatoeages. Op dit moment kruiste hij zijn kleurrijk beschilderde armen over elkaar op zijn borst en liet hij zijn zware stem horen. „Ik heb meegeluisterd en kan je zeggen dat jij bij die veearts geen schijn van kans hebt! Hoewel ik de man niet persoonlijk ken, hoorde ik meteen aan zijn stemgeluid dat hij met geen cent over de brug zal komen! Waar haalde jij dan het smoesje vandaan dat het een makkie voor je zou zijn om veel geld bij hem los te peuteren?"

„Je moet geduld met me hebben, ik ben nog niet klaar met Wout Speelman..." Antons stem had timide geklonken, die van Appie duldde geen tegenspraak.

„Dat is jouw zaak, laat het echter wel tot je botte hersens doordringen dat ik klaar ben met jou! Ik ben de hele tijd veel te goed geweest ten opzichte van jou, jij deed intussen niet anders dan mij bedriegen!"

„Dat moet je niet zeggen, Appie, het is niet waar en..." Hier werd Anton onderbroken. „Als jij ook nog durft beweren dat ik zit te liegen, zal ik je geheugen even wat opfrissen! Luister goed, daar gaan we: toen jij je exvriendin, Louwina, die bloedmooie meid, destijds in dat dorp achterliet omdat de grond daar te heet werd onder je voeten, had jij geen onderdak en klopte je om hulp aan bij mij. En ja hoor – sukkel die ik achteraf bezien was – ik streek over mijn hart. Ik bood aan dat je op mijn jacht mocht wonen dat aangemeerd ligt in een schitterend natuurgebied. De afspraak was dat het voor tijdelijk zou zijn omdat ik er omstreeks half juli mee naar het buitenland wil. De huurprijs die ik vroeg was ronduit schappelijk, tot op heden heb ik er echter nog geen rooie cent van gezien!" Hij keek Anton furieus aan en in het nauw gebracht stotterde deze: „De zaken gaan slecht, 'men' weet mij niet of nauwelijks meer te vinden. Ik zit hopeloos krap bij kas, maar zodra het weer bergopwaarts gaat betaal ik jou tot op de laatste cent uit. Daar kun je van op aan, Appie!"

Deze lachte. „Man, laat naar je kijken! De jongens zouden, net als vroeger, keurig hun door jou bestelde goederen bij je afleveren, als jij tenminste boter bij de vis verstrekte. Wat jij echter doet is de goederen in ontvangst nemen met de belofte dat je de volgende keer geld zult laten zien. Als die volgende keer er is, worden ze opnieuw met een smoes door jou afgepoeierd, hoe lang denk jij dat deze manier van werken goed zal gaan? Je snapt toch wel dat men zich bij mij komt beklagen en dat ik vervolgens door jouw nalatigheid over de brug moet komen! Ik kan er niets tegen inbrengen als ze zeggen dat ze niet langer voor jou willen werken, ik mag enkel blij zijn dat ik niet alléén van jou afhankelijk ben. Ik kan gelukkig terugvallen op meerdere mannen die er maar al te graag voor willen zorgen dat verslaafden aan geld komen omdat ze er zelf zeker niet minder van worden! Maar laat ik bij jou blijven; jij staat inmiddels torenhoog bij mij in het krijt en het schijnt niet tot je door te dringen dat mijn geduld schoon op is!"

„Jawel, Appie, daar heb ik alle begrip voor! Toch vraag ik je om nog wat uitstel voordat je stappen tegen mij onderneemt. Ik heb de plannen klaarliggen waarmee ik Wout Speelman op zijn knieën krijg, maar dat kost nu eenmaal wat tijd. Gun me die. Alsjeblieft...?"

Het nederige smeken raakte de ander niet. Zijn felle blik boorde zich in de ogen van Anton en met hoongelach zei hij: „Ik vertrouw jou voor geen meter meer en daar heb ik alle reden toe. Want je hebt me nog een belofte gedaan die je niet na bent gekomen. Weet je nog!?"

Anton knikte en prevelde: „Louwina... ik weet wat je bedoelt."

„Nou, kijk eens aan, het valt me mee dat het in jouw hersenpan niet helemaal één klomp roest is! Ja, om in ieder geval iets aan mij goed te maken zou jij die mooie meid hier in mijn huis brengen, ik zou genoegen aan haar mogen beleven. Jij zou haar kind meenemen naar de jacht zodat ik dáár tenminste geen last van had. Tot dusverre is ook daar niets van terechtgekomen en dus, Anton, zul je begrijpen dat ik nu genoodzaakt ben om bepaalde maatregelen te treffen. Ik krijg zeer binnenkort een partij drugs die 'even' naar Turkije gebracht moet worden, ik dacht dat dat een mooi uitstapje voor jou zou zijn!" Hij grinnikte vals, en Antons ogen werden niet alleen eens zo groot, ze vulden zich bovendien met angst. Die weerklonk in zijn stem. „Doe me dat niet aan, het is bloedlink! Als ik gesnapt word..." Opnieuw werd hij onderbroken. „Je moet de positieve kant ervan inzien. Want als je niet gepakt wordt, kun je in één klap je schulden aan mij voldoen. Daarna houden we er allebei nog goed geld aan over, mijn liefje wat wil je nog meer!"

„Je weet dat ik niet snel ergens voor terugdeins, dit durf ik echter niet aan. Alleen al vanwege mijn angst, de lichaamstaal die daardoor automatisch ontstaat, zullen ze mij gegarandeerd te pakken krijgen..."

„O, maar daar kunnen we wel iets aan doen, hoor! Met een gepaste vermomming zul jij er niet alleen anders uitzien, van de weeromstuit zul jij je meteen ook anders voelen en je daarnaar gaan gedragen! Fred, mijn grootste vriend, is niet alleen een ware tatoeage-koning, met de juiste schmink kan hij in het hardste mannengezicht zachte, vrouwelijke uitdrukkingen leggen. Een pruik doet ook wonderen, evenals de gewenste kleding. Ik denk dat er van jou wel een keurige dame op leeftijd te maken valt, laat dat maar aan mij over!"

„Ik twijfel niet aan jouw kunde in velerlei opzichten, toch smeek ik je nogmaals: geef me nog een klein beetje tijd. Ik hoef Louwina alleen maar doodsbang maken en dat is voor mij een koud kunstje. Vervolgens zal ze precies doen wat ik van haar verlang. Wout Speelman hoeft me niet eens geld in handen te geven, heb ik bedacht, als ik via Louwina zijn bankpas en creditcard in handen krijg is dat al meer dan genoeg. Toe, Appie, laat mij nog even mijn gang gaan, je zult er geen spijt van krijgen!"

De ander keek bedenkelijk, maar tot Antons onuitsprekelijke opluchting stemde hij toch toe. Kort hierna verliet hij het huis van de man die hem volkomen in zijn macht had en na een autorit van bijna een uur keerde hij terug bij het jacht, zijn tijdelijke onderkomen. Daar pleegde hij een telefoontje, de stem aan de andere kant van de lijn klonk jong, maar ook aarzelend. „Ik heb de grootste moeite met het soort dingen die jij nu van mij vraagt, maar ik heb geen keus. Ik heb het geld nodig. Krijg ik het meteen, hoef ik er geen weken op te wachten, zoals laatst?"

Anton beloofde, en in nood geloofde de ander hem op zijn woord.

Jelmer Douma stond die ochtend extra vroeg op. Hij had vandaag een gebroken dienst, hij hoefde vanmiddag pas om een uur te beginnen. Tijdens het scheren bedacht hij dat hij een lange morgen bij Wout Speelman aan de slag kon en gezien de centjes kwam hem dat goed van pas. Gisteren had Wout hem gevraagd of hij een bepaald gedeelte van het land, waar de paarden liepen van Gijs en Jorden, wilde afrasteren. Er kwamen schapen op te lopen die nu, vanwege ruimtegebrek buiten, nog in de schuur in een hok zaten, een schaap wilde echter buiten zijn. Weer of geen weer. Dat lieten ze volgens Wout merken, want ze hadden hun bekken dag en nacht open, het klagelijke gemekker ging een dierenliefhebber door merg en been. De arme dieren moesten zo snel mogelijk naar buiten, ze hadden het al moeilijk genoeg gehad. Jelmer schudde zijn hoofd en verbijsterd vroeg hij zich af hoe een mens zijn eigen dieren zo schromelijk kon verwaarlozen. In dergelijke lieden huisde beslist geen goed hart! De schapen, vier stuks, waren door de politie in beslag genomen nadat ze door iemand getipt waren dat de dieren er erbarmelijk aan toe waren. Ze hadden op een lapje land gelopen waar in de verste verte geen sprietje gras te bekennen viel. Bijgevoerd werden ze niet, waterbakken waren niet eens aanwezig geweest. Ze waren sterk vermagerd en verzwakt door honger en uitdroging, twee van de stakkers liepen bovendien kreupel. De eigenaar had een fikse boete gekregen waar hij laconiek zijn schouders over had opgehaald, de vraag wat er met de schapen moest gebeuren was niet aan de orde gekomen. In de wijde omtrek kende men de naam van Wout Speelman immers, zijn deur stond uitnodigend open voor een dier in nood. Het mooie ervan was dat Wout dierenarts was, zieke dieren kwamen bij hem in goede handen. En denk maar niet, dacht Jelmer, dat er een dier doorverkocht of gewoon weggeven werd. De dieren, die eenmaal onder Wouts hoede waren gekomen bleven daar tot aan hun dood. Hij is gewoon een goed mens, Wout Speelman, vond Jelmer en toen was hij klaar voor vertrek. Eerst nog even Annelies een kusje brengen. Ze lag nog in bed, maar een kus van hem kwam haar nooit ongelegen. Jelmer glimlachte in zichzelf en even hierna boog hij zich over zijn vrouw. Het werd een vluchtig zoentje dat op haar voorhoofd terechtkwam. „Ik ga ervandoor, blijf jij nog maar lekker een poosje liggen. Dag, hoor!"

Annelies murmelde slaapdronken: „Is Clemens al thuis? Ik ben vannacht om drie uur naar de wc geweest, toen heb ik om het hoekje van zijn slaapkamerdeur gekeken, maar zijn bed was toen nog onbeslapen."

„Ik kan je geen antwoord geven op je vraag, want ik weet het niet. En ik heb geen zin om te gaan kijken of hij wel of niet thuis is, want daar plaag ik me alleen zelf maar mee. Laat maar, hij maakt zich ook geen zorgen over ons. En nu kijk jij weer bezorgd, terwijl je met een glimlach op je lief gezicht verder zou moeten slapen. Probeer dat toch nog maar even."

Annelies zond hem een dapper lachje, maar toen Jelmer even later op zijn fiets door het nog half slapende dorp reed, waren zijn gedachten toch weer ongewild bij zijn zoon. Bij hun enig kind dat met alle goede zorg en liefde was grootgebracht en uiteindelijk in de goot was terechtgekomen. Zo mag ik het wel stellen, vond Jelmer, en verder staan we er volkomen machteloos tegenover. Jammer, jammer, want diep in zijn hart was Clemens nog dezelfde gevoelige jongen van vroeger. Hij zou nog geen vlieg kwaad kunnen doen, zichzelf helaas wel.

Jelmers gedachten dwaalden weg van zijn zoon toen hij bij het boerderijtje van Wout en Marjet de oprit op fietste. Toen bedacht hij dat het toch een vreemde gewaarwording was waar hij nog aan wennen moest, dat hij Karel niet al hoorde blaffen. Het pientere dier kende zijn stem, zijn voetstappen, zelfs het geluid van zijn fiets. Elke keer als hij de oprit insloeg, begroette Karel hem, terwijl hij hem nog niet eens kon zien, met blij geblaf. En nu was en bleef het stil. Karel sliep de laatste dagen niet in zijn ruime hok, maar in het huis van zijn baas. De eerste keer toen hij Karel miste, had hij Wout erover aangesproken en die had verteld dat Karel momenteel niet goed in zijn vel zat. „Hij heeft iets onder de leden, ik ben er nog niet achter wat er met hem aan de hand is. Voor alle zekerheid haal ik hem 's avonds binnen zodat ik ook 's nachts een oogje op hem kan houden." Hij, Jelmer, kon met de beste wil van de wereld niets aan Karel merken, volgens hem was de hond net zo kwiek en speels als anders. Maar ja, hij was geen dierenarts, Wout wel en dus zou hij heus wel weten wat het beste voor de goedaardige lobbes was. Men was hier meer dan goed voor alle dieren, Karel had echter overduidelijk een streepje voor. Hij werd gewoonweg door iedereen verwend, vooral Louwina was echt stapel op het beest. Vroeger hadden ze de oude mevrouw, Marjets moeder, regelmatig met de hond zien lopen. Ook zij was aan Karel gehecht geweest. Zij was er helaas niet meer. Raar idee evengoed, dat je op een keer allemaal wegging om niet terug te keren. Het hiernamaals, hoe zou dat eruitzien? Jelmer wist dat hij geen antwoord kon verwachten op die vraag en besloot niet langer te blijven dagdromen. Beter was het om de handen uit de mouwen te steken. Dat zou hij doen door eerst maar eens de vele waterbakken te vullen. Hij was er een poos zoet mee, maar hij verrichtte het karwei fluitend. Dat bewees dat hij er genoegen aan beleefde om even niet op de bus te zitten. Totaal ander werk doen, een centje bijverdienen en tegelijkertijd kon hij zijn hart ophalen, want hij hield van dieren. Van volstrekt onschuldige wezens die afhankelijk waren van de goedheid van de mens. Druk doende was Jelmer geweest, als laatste ging hij met de grote, loodzware gieter naar het landje waarop de pony en de ezel liepen. Hij had de waterbakken gevuld toen hij zich erover verbaasde dat alleen het ezeltje gewoontegetrouw naar het hek kwam om achter de oren gekrabbeld te worden, de pony niet. Die stond, zag hij nu, iets verderop. Roerloos, alleen voer er af en toe een siddering door haar heen, ze liet het hoofd slap omlaaghangen. Jelmer klapte in zijn handen en riep haar naam: „Tamara, kom, dan krijg je als snoepje een handje biks!" Er kwam geen reactie. Vreemd, dacht Jelmer, heel vreemd.

Op hetzelfde moment sloeg Wout zijn ogen op en meteen klaarwakker besloot hij op te staan. Om Marjet niet wakker te maken verliet hij de slaapkamer geruisloos en met zijn kleren onder de arm verdween hij in de badkamer waar hij zich waste en aankleedde. Ondertussen dacht hij eraan dat Marjet vanochtend om tien uur in het ziekenhuis moest zijn voor haar op een na laatste chemokuur. Arme meid, de komende dagen zou ze zich weer ziek en beroerd voelen. Logisch, dat ze er tegen opzag, gisteravond in bed had ze in zijn armen eventjes uitgehuild. Daarna had ze zacht gezegd dat ze dankbaar was dat haar moeder deze ellende van haar niet hoefde mee te maken. „Mam zou zich er geen raad mee hebben geweten, ze zou overbezorgd zijn geweest. Ik hield zoveel van haar, Wout, ik mis haar nog elke dag..."

Natuurlijk was het voor Marjet het allerergste, maar hij miste het lieve mens ook nog hevig. Het verging de kinderen net zo, want ook zij noemden oma's naam nog haast dagelijks. Met ernstige, bedroefd staande gezichten. Je kon een mens niet missen die je zo dierbaar was geweest, maar daar werd geen rekening mee gehouden.

Wout was klaar in de badkamer, hij daalde de trap af en beneden gekomen zag hij dat er op de mat van de voordeur iets lag. Een reclamefolder, met die gedachte bukte hij zich en nam het vel papier op. En toen verschoot hij van kleur en mompelde binnensmonds: „Wat zullen we dan nu beleven..." Het was geen handschrift dat hij zag, maar losse, opgeplakte letters die samen een zin vormden: *Nu is het de pony, wie of wat volgt?* In een reflexbeweging kneep Wout het papier tot een prop, en stak het diep weg in zijn broekzak. Door zijn hoofd flitste een naam: Anton Schuitema. Dan schoten zijn gedachten naar de pony en in alle haast repte hij zich naar buiten, op de voet gevolgd door Karel. Eenmaal buiten hobbelde de hond uitgelaten voor hem uit, maar Wout had enkel oog voor de pony. Hij zag dat Jelmer bij het dier stond, en toen Wout arriveerde verzuchtte die: „Goed dat je er bent, ik wist me er eerlijk gezegd niet goed raad mee."

„Wat is er in vredesnaam aan de hand?" vroeg Wout, tegelijkertijd zag hij de wond op de linker achterflank van het paardje. Terwijl Wout een vakkundige inspectie verrichtte meende Jelmer te weten: „Het is duidelijk dat ze zichzelf opengehaald heeft aan een spijker of aan een stuk loszittend ijzerdraad. Het is anders een beste jaap!"

Wout knikte en vulde aan: „Die zo snel mogelijk verzorgd moet worden. Blijf jij bij Tamara, dan ga ik mijn spullen halen." Hij wachtte niet op antwoord, maar repte zich naar de behandelkamer die afgetimmerd was in de grote schuur. Terwijl hij de medicamenten die hij nodig had bij elkaar zocht, besloot hij Jelmer niet wijzer te maken, maar ook zeker Marjet, Louwina en de kinderen niet. Hij was er voor zichzelf van overtuigd dat hij Anton Schuitema de schuld ervan in de schoenen mocht schuiven. Gezien de belabberde boodschap op het briefje in zijn zak, leed dat geen twijfel. Om geen onrust te zaaien moest hij dat miserabele gegeven voorlopig maar liever voor zichzelf houden. Marjet kreeg de komende dagen al meer dan genoeg te verduren, Louwina was al bang genoeg. De jongens en Marieke konden maar beter niet weten dat er een onguur mens rondliep dat nergens voor terugdeinsde. O, kerel als ik jou in mijn handen krijg...! Verder kwam Wout niet met dreigende gedachten, want hij was terug bij de pony en verzocht Jelmer het dier goed aan de halster vast te houden. Tegen Tamara praatte hij geruststellend. „Stil maar, rustig maar, het komt allemaal weer goed. De pijn die jij moet voelen verdien je niet. Je bent zo braaf..." Hij depte de bloederige wond met ontsmettingsmiddel en spoot er een genezend poeder op. Tegen Jelmer zei hij: „Ik hoef gelukkig geen hechtingen aan te brengen, daarvoor is de wond te oppervlakkig. Meer dan ik nu gedaan heb kan ik niet doen, ik weet gelukkig dat een dergelijke wond snel geneest." Hij klopte Tamara troostend tegen haar hals en wreef zachtjes over haar fluwelig aanvoelende neus. Onderwijl luisterde hij naar Jelmer. „Voordat ik de afrasteringspalen voor de schapen in de grond sla, ga ik eerst op onderzoek uit of ik een loszittend stuk ijzerdraad of een uitstekende spijker aan de omheining kan vinden."

Wout knikte goedkeurend, maar dacht: jij kunt nog zoveel speurwerk verrichten, je zult echter niets vinden. Hij verborg deze gedachten en zei zo neutraal mogelijk: „Met dieren kun je dergelijke ongelukjes verwachten, je zou bijna kunnen zeggen dat het erbij hoort." Ga hier maar mee naar huis, dacht hij, het is te hopen dat je zoon het opvangt en doorbrieft dat ik er niet zwaar aan til, er in ieder geval niets achter zoek. Al is dat dan ook louter schijn. Nog eenmaal inspecteerde Wout de wond, dan richtte hij zich weer tot Jelmer. „Jij redt je verder wel, ik ga naar binnen, want ik moet zo dadelijk met Marjet naar het ziekenhuis. Ze krijgt vandaag de zoveelste chemokuur."

„Ach heden, dat is niet best," vond Jelmer en eerlijk gemeend voegde hij eraantoe: „Annelies en ik zeggen vaak genoeg tegen elkaar dat jullie je portie wel krijgen, maar dat gunnen wij jullie niet."

„Bedankt," zei Wout met een matte glimlach. „Maar wat dat betreft kunnen wij elkaar de hand drukken, want dankzij Clemens komen jullie er evenmin zonder kleerscheuren vanaf. Hoe is het anders met hem, nog steeds hetzelfde, vermoed ik?"

Jelmer trok onwillig met zijn schouders. „Het is mij ontgaan, maar Annelies heeft gemerkt dat Clemens vannacht om drie uur nog niet thuis was. Waar zit zo'n jongen dan, vragen wij ons af, en wat spookt hij uit?"

Daar zou ik je iets over kunnen vertellen, dacht Wout. Vannacht is jouw zoon hier op mijn land geweest. En hij kon rustig zijn gang gaan, want hij wist dat Karel niet in zijn hok was en geen alarm kon slaan. „Ik wens jou en je vrouw alle mogelijke sterkte." Wout verwijderde zich en onderweg naar het woongedeelte besloot hij dat hij de komende nachten zou gaan waken. Zodra Marjet en de anderen sliepen zou hij zich uit bed laten glijden en zou hij zich in het hok van Karel schuilhouden. Het was weliswaar een groot hok waar een mens in gebukte houding in kon staan, er een nacht in door te moeten brengen was zeker niet gerieflijk. Het was de moeite echter waard, want het zal niet lang meer duren, voorspelde Wout zichzelf, dan grijp ik Clemens Douma in zijn nekvel en zal ik hem ertoe dwingen dat hij zijn mond opendoet en mij vertelt dat zijn opdrachtgever Anton Schuitema heet. Met harde bewijzen in handen kan ik dan vervolgens de nodige stappen gaan ondernemen, tot zo lang moet ik geduld betrachten.

Zo stelde Wout zichzelf gerust, hij dacht er in de gauwigheid niet aan dat iets vaak heel anders verloopt dan een mens denkt of wenst.

De volgende ochtend toen ze wakker werden voelde Marjet zich echt doodziek, Wout had verschrikkelijk met haar te doen. „Je moet in bed blijven, ik zal zo dadelijk een ontbijtje voor je boven brengen."

„Nee, nee, als ik alleen al aan eten denk moet ik al haast overgeven. Breng maar een glas thee, dat is meer dan genoeg."

Wout streelde haar voorzichtig over haar kale hoofd en bewogen zei hij: „Probeer nog maar een poosje te slapen, dat is voor jou het allerbeste."

Hij wist niet wat hij hoorde toen Marjet daarop zei: „Dat moet jij nodig zeggen, je hebt je bed zelf amper gezien! En kijk nou maar niet alsof je nergens van weet, ik ben een paar keer wakker geweest en jouw plekje naast mij was telkens leeg! Ik voelde me te beroerd om te gaan kijken wat je aan het doen was, dat moet je nu dus zelf maar even aan me zeggen!"

Wout moest zijn best doen om zonder blikken of blozen te kunnen jokken: „Ik kon de slaap met geen mogelijkheid te pakken krijgen, dan kun je er maar beter uitgaan, want anders lig je maar te woelen en te draaien. Ik ben bij Tamara wezen kijken, 'k heb wat gelezen, gewoon wat aangeklungeld. Zo'n slapeloze nacht is voor een keer niet erg, ik haal de schade heus wel weer in." Ik ben allang blij, dacht hij erachteraan, dat jij aan mijn buitenkant niet kunt zien hoe stijf mijn botten aanvoelen. Het was bepaald geen pretje geweest om een nacht in het hok van Karel te bivakkeren. Hij had almaar in een ongelukkige houding moeten zitten en voor noppes, want Clemens had zich niet laten zien.

„Wout...? Mag ik je iets vragen?" Met die woorden verbrak Marjet zijn gemijmer. „Maar natuurlijk schatje, zeg het maar!"

„Ik zou zo graag willen dat jij Louwina wat werk uit handen nam. Ze staat overal alleen voor, ze heeft het echt veel te druk. Ze is bovendien veel te netjes, ze kan bij wijze van spreken geen stofje zien liggen. Gisteren had ze het erover dat ze vandaag de buitenboel rondom het hele huis moest doen en dat is een klus van jewelste. Kun jij de waterslang niet aansluiten en de ramen en het houtwerk schoon spuiten? Die manier van werken zal niet naar Louwina's zin zijn, volgens haar moet het per se met spons en zeem, voor een keer kan het echter best. Het hele huis stofzuigen is ook zwaar en vermoeiend, dat karwei zou jij ook een keer voor je rekening kunnen nemen."

Wout trok een gezicht. „Ik heb een broertje dood aan huishoudelijk werk, maar omdat jij het zo lief vraagt zal ik me er niet tegen verzetten. We zouden weer een flinke hulp moeten nemen, maar dat idee durf ik niet eens naar voren te brengen!"

Marjet wist onmiddellijk wat hij ermee bedoelde. „Waag dat ook maar liever niet, want als hier een vervangster van Femmie rondliep, zou Louwina zich overbodig voelen, met alle gevolgen van dien! Ik weet wel zeker dat ze dan alsnog een baan ging zoeken om toch maar vooral niet afhankelijk te hoeven zijn van ons. Ze is op dat punt nu eenmaal overgevoelig, maar ook behoorlijk eigenwijs!" Marjet zweeg, ze trok bleek weg en sloot haar ogen. Wout schrok.

„Ach, lieverdje toch, ik heb je veel te lang aan de praat gehouden. Ik schaam me diep en zal je gauw alleen laten." Hij voegde de daad bij het woord, stapte uit bed en verdween in de badkamer. Een kwartiertje later stapte hij, veel vroeger dan normaal, de grote, gezellige woonkeuken binnen waar Louwina druk doende was de ontbijttafel te dekken. Nadat ze elkaar een goede morgen hadden gewenst keek Wout haar peilend aan. „Jij bent er vroeg bij, moet ik zeggen!"

„Nee, hoor," lachte Louwina, „ik sta elke morgen zo vroeg op, maar dat merken jullie niet omdat je dan nog lekker op een oor ligt! Het is gewoon zo dat als je er 's morgens vroeg bij bent, je de hele dag vroeg bent en bergen kunt verzetten. Ik heb al van alles gedaan, Karel ook al naar buiten gestuurd. Wil je thee of koffie?"

Wout koos voor een kop thee en toen dat hem voor werd gezet informeerde hij: „Hoe is het, slaap jij echt rustiger nu Karel de wacht bij je houdt?"

„O, ja! Als ik in bed stap, doe ik mijn ogen dicht en ben meteen weg. Af en toe word ik wakker, want je houdt het niet voor mogelijk hoe hard Karel kan snurken. Maar dat neem ik voor lief, het geeft mij een veilig gevoel dat hij bij me is."

Jammer, dacht Wout, want nu zal ik ook de komende nacht weer in het hondenhok moeten doorbrengen.

Louwina was er ook bij gaan zitten, ze nam een slokje van haar thee en vroeg hoe het met Marjet was. „Gisteravond was ze echt doodmoe en er slecht aan toe. Maar ja, Bart en Klaartje bleven voor mijn gevoel ook wel erg lang plakken. Ze bedoelden het goed, maar voor Marjet was het te vermoeiend. Jouw zus, Maureen, belde nog, ze wilde Marjet graag zelf spreken en die wens spraken ook Claudia en Wiebe uit toen zij belden om te horen hoe Marjet het maakte. Het was allemaal even te veel van het goede, hoe voelt ze zich nu?"

„Niet goed," zei Wout, hij keek bezorgd. „Ze ziet eruit alsof ze op instorten staat en zo voelt ze zich dus ook. Ik heb gezegd dat ze in bed moet blijven en vanzelfsprekend stribbelde ze niet tegen. Als de jongens en Marieke zo dadelijk beneden komen, zal ik aan ze zeggen dat ze mam een kusje mogen brengen voordat ze naar school gaan, maar dat ze niet bij haar in bed mogen kruipen om hele verhalen af te steken. Marjet is de komende dagen even weer volop patiënt, gelukkig weten we dat deze ellende voor haar met een weekje weer voorbij is. Tot zo lang moeten wij haar ontzien en daarom is het jammer dat ze zich zorgen ligt te maken om jou."

Louwina was zich van geen kwaad bewust en zette grote, vragende ogen op. „Hoe kan Marjet nou met mij bezig zijn, ik mankeer toch zeker niks!"

„Marjet vindt dat jij het te druk hebt en dat ben ik volkomen met haar eens. Zeker nu ik je erop heb betrapt dat jij al voor dag en dauw uit de veren bent, geeft dat mij te denken. Daarstraks vroeg Marjet aan mij of ik jou een handje wilde helpen en dat gaan wij nu onderling regelen!" Louwina staarde hem opnieuw niet begrijpend aan, waarop Wout uitlegde dat hij de buitenboel straks voor zijn rekening nam en dat hij het hele huis grondig zou stofzuigen. „Ik kan ook aardappelen schillen, groente snijden en wassen, kortom veel meer dan jij denkt! Ik wil hiermee zeggen dat als wij vanochtend samen even flink tekeergaan, jij vanmiddag niets te doen hebt en eens kunt doen waar jij zelf zin in hebt. Nou, hoe lijkt je dit plan?"

Louwina bloosde licht. „Jullie zijn schatten, dat voorgesteld. En ja, Wout, het lijkt me heerlijk om eventjes pas op de plaats te kunnen maken. Dan ga ik vanmiddag een lange wandeling maken met Karel, want eerlijk gezegd verwaarloos ik hem een beetje. Ik laat hem iedere dag wel een paar keer uit, maar altijd vlug, vlug, in alle haast. Dat merkt Karel en ik voel me er schuldig over. Vanmiddag ga ik hem en mezelf verwennen en ik neem Carmen wel mee, dan hoeven jullie niet op haar te letten!"

„Dat wil ik juist niet, want dan ben jij nog niet echt vrij. Laat dat kleine popke vanmiddag maar aan mij over, het is voor mij bepaald geen straf om op haar te passen. Er is overigens niets met haar te doen, ze slaapt of ze ligt, als gewoonlijk, zoet in de box rond te kijken. Ik ben blij dat jij geen nee zei op mijn voorstel, daar zal Marjet ook bijzonder content mee zijn. Ik ga haar een glas thee brengen en dan haal ik daarna Marieke uit bed en trommel ik de jongens er ook uit."

Daarop bedisselde Louwina: „Als jij dan zo meteen met jouw kinderen gaat ontbijten, doe ik Carmen ondertussen in bad en zorg ik dat zij haar maagje vol krijgt. Zeg maar aan Marjet dat ik zo dadelijk bij haar kom kijken om te zien of ik iets voor haar kan doen."

Ze stonden gelijktijdig op en in de uren die volgden waren ze allebei druk doende. En als je pittig bezig bent, lijken de uren sneller te gaan, want voordat ze er erg in hadden zaten ze gezamenlijk aan de lunch. Marjet was ook naar beneden gekomen, ze zat in haar duster en lepelde met zichtbare tegenzin een kopje soep naar binnen. Ze genoot stilletjes van het gebekvecht tussen Gijs en Jorden dat uit de hand dreigde te lopen toen ze hun stemmen verhieven en er onderling ruzie leek te zullen ontstaan. Voordat een van hen in kon grijpen, kwam Marieke tussenbeide. En dat zij Wouts waarschuwing van die ochtend wel heel erg letterlijk had opgevat bleek toen ze haar broers bestraffend toesprak. „Jullie moeten stil zijn! We mogen mam alleen maar een kusje geven, maar niks zeggen!" Er werd vertederd om gelachen, Mariekes boodschap had het gewenste resultaat echter wel bereikt, want Gijs en Jorden hielden hun mond.

Na de lunch, toen ze weer naar school moesten, gaven ze hun moeder een behoedzaam kusje en wensten ze haar heel veel beterschap. „Het valt wel mee, hoor, het is lang niet zo erg met mij gesteld als jullie denken!" troostte

Marjet. De kinderen waren echter nauwelijks de deur uit toen zij zich naar boven haastte om haar bed weer op te zoeken.

Louwina verzorgde Carmen en bracht haar naar bed voor haar middagslaapje, daarna ruimde ze de eettafel af en zette ze de vaatwasser aan. Zo, dacht ze vergenoegd, nu nog even aan Wout zeggen dat Carmen wel tot een uur of drie doorslaapt en dan trek ik er met Karel tussenuit. Kort hierna zette ze haar voornemen in daden om, ze stak haar hoofd om het hoekje van de huiskamerdeur en met één oogopslag zag ze dat Wout languit op de bank lag en vast sliep alsof hij schade aan het inhalen was. Louwina wist niet dat dat inderdaad het geval was, onwetend trok zij schouderophalend de deur zachtjes weer dicht. Even hierna gespte ze de hondenriem vast aan Karels halsband. Ze aaide en knuffelde hem en dan zette ze de pas erin. Niet wetende waar haar wandeling op uit zou draaien...

✻ 6 ✻

De boerderij van Wout stond toch gauw een kwartiertje lopen van het dorp verwijderd, maar dat was voor Louwina geen punt. Integendeel, het was heerlijk weer, zij genoot van de zon die volop scheen en terwijl ze stevig doorliep dacht ze terug aan de drukke ochtend die Wout en zij achter de rug hadden. Ze snapte heus wel dat Wout haar in opdracht van Marjet had geholpen, maar dat maakte haar waardering er niet minder om. Ze vond het echt heel lief van hem om zo zijn best te doen voor haar en tegen geen sterveling zou ze zeggen dat Wouts handen, wat huishoudelijk werk betrof, totaal verkeerd stonden. Met een schuin oogje had zij gezien dat hij alleen maar in het midden van de vertrekken gestofzuigd had, de kanten en de hoeken had hij over het hoofd gezien. De buitenboel was al helemaal niet naar haar zin gedaan, als ze zich niet te zeer aan de streperige ramen wilde ergeren, zou ze het zeer binnenkort zelf over moeten doen. Voorlopig zat de buitenboel haar niet op de rug, de stapel strijkgoed die nog op haar lag te wachten zou ze vanavond misschien weg kunnen werken. Vanmiddag was ze vrij en daar wilde ze van genieten. Straks in het park zou ze lekker een poos op een bank in de zon gaan zitten, daarna ging ze Annelies Douma een bezoekje brengen. Dat ze Karel bij zich had zou Annelies vast niet erg vinden, want met dit mooie weer zouden ze in de tuin thee of koffie drinken en kreeg Annelies geen hondenharen in huis.

Tussen haar mijmeringen door had Louwina in het voorbijgaan deze of gene vriendelijk gegroet, nu praatte ze tegen Karel. „Wat ben je toch ook een slimme hond! Je hebt in de gaten dat we vlak bij het park zijn, daarom trek je almaar harder aan de riem. Maar ik ga toch echt niet rennen voor jouw ongeduld, ik laat jou uit, jij mij niet! Maar troost je, want straks in het park mag je loslopen en dat zal tijd worden, hoor ik je denken!" Ze glimlachte en dacht aan de vele voorgaande dagen. Toen had ze het naar haar idee zo druk dat ze Karel ook in het park aan de riem had gehouden. Om de eenvoudige reden dat ze hem dan niet hoefde te roepen of te zoeken als ze zich weer naar huis wilde reppen. Karel had haar gejaagdheid niet begrepen, hij was om de haverklap gaan zitten en met zijn kop opgericht naar haar had hij zachte jankende keelgeluiden gemaakt. Arm dier, ze had hem echt verwaarloosd, maar ze had het smoordruk, dat was heus geen smoes. Het was een groot huis dat ze nu in d'r eentje moest schoonhouden, met drie volwassenen en vier kinderen kwam er heel wat kijken. Alleen al de was, het strijkgoed daarvan, koken en noem maar op, slokte heel wat uren op. Als Marjet zich weer wat beter en sterker voelde, werd het vanzelf weer wat gemakkelijker voor haar, voorlopig zorgde ze met liefde voor de mensen die zo goed waren voor haar. Ze zou volmaakt gelukkig kunnen zijn als Antons dreigementen niet aldoor in haar hoofd rondspookten. Anton... wat ben je met me van plan, je moet me met rust laten...

Louwina's gepeins werd onderbroken doordat Karel blaffend tegen haar opsprong. „Ja, ja, rustig maar! Ik zie heus wel dat we in het park zijn, nu mag je los." Ze maakte de riem los van de halsband en gaf Karel een duwtje na. „Zo, ga nu maar dollen en overal snuffelend aan ruiken, dat doe je immers zo graag!" Karel vond haar gepraat niet interessant, hij maakte dat hij wegkwam en als altijd schoot hij onder dicht struikgewas door naar de rand van het park. Louwina liet zich op een bank neerzakken, ze wist dat ze zich geen zorgen om de hond hoefde te maken. Het omgekeerde kwam eerder aan de orde, bedacht ze vermaakt, waaks als hij was zou Karel haar ondanks zijn eigen bezigheden, scherp in de gaten houden. Als hij uitgedold en moe was, zou hij bij haar terugkomen en dan wilde hij naar huis om uit te rusten en te gaan slapen. Lief dier, ze hield van hem. En dat kwam zeker niet omdat ze geen partner had en ze iets miste, na Anton wilde zij niet eens denken aan een man in haar leven. De liefde mocht dan nog zo mooi zijn en onontbeerlijk voor de mens, zoals er werd beweerd, zij had even geen belang bij het dragen van een 'roze mutsje'. Ze wist immers uit ervaring dat die zachte, zoete kleur zomaar kon veranderen in groezelig vuil.

Louwina zou later niet hebben kunnen navertellen hoe lang ze met haar ogen dicht en haar gezicht opgeheven naar de zon had zitten mijmeren. Ze schrok op door een geluid dat op een schot leek, gevolgd door het blaffen van Karel. Hij blafte niet als anders, maar vervaarlijk. Er is iets aan de hand, schoot het door haar heen. Toen was ze al opgestaan en haastte ze zich zonder nadenken naar de plek waar het alarmerende geluid vandaan kwam. Met beide handen boog ze takken van het struikgewas opzij en voorovergebogen baande ze zich een weg erdoorheen. En toen bleef ze stokstijf staan en staarde ze naar het tafereel voor haar. Een man, ze schatte hem in de gauwigheid op een dertiger, zat op zijn hurken, en met zijn ellebogen op zijn knieën steunde hij zijn gebogen hoofd in één hand, met de andere hield hij een revolver vast. O, lieve deugd, wat eng...

Hij merkte haar niet op, zelfs het aanhoudend geblaf van Karel scheen niet tot hem door te dringen. Door het geluid heen dat Karel produceerde, hoorde ze hem hardop kermen: „Ik kan het niet... ik kan het niet!"

Hoewel ze op haar benen stond te trillen, vooral van de revolver, raapte Louwina alle moed bijeen en riep ze met trillende stem: „Wat gebeurt hier in vredesnaam..."

Geschrokken hief de man zijn hoofd op, hij keek haar een ogenblik verdwaasd aan voordat hij overeind kwam en haar naam noemde. „Louwina...?"

„Hoe weet jij wie ik ben, ik ken jou niet...?" Alsof ze bescherming zocht, zo deed ze een stapje naar voren en hield ze zich vast aan Karels halsband. Ze omklemde die nog vaster toen ze als gebiologeerd naar de revolver staarde. Vol afgrijzen en ongekende angst keek ze beurtelings van het schiettuig naar de man. Hij zag haar angstige vertwijfeling en boven het geblaf van Karel uit stelde hij haar gerust. Hij stak de revolver in zijn broekzak en zei: „Je hoeft niet bang zijn, ik doe je niks. Ik kan geen dier iets aandoen, laat staan een mens..."

Vanwege zijn manier van optreden, en de trouwhartige blik die hij haar toewierp, voelde Louwina dat de angst haar verliet en sommeerde ze Karel stil te zijn. „Stil, rustig maar, het is goed volk." Ze aaide Karel geruststellend over zijn kop, maar onderwijl bleven haar ogen gericht op de man voor haar. „Het is goed volk, met die woorden kalmeerde ik mijn hond, maar ik kan hem ook andere orders geven die hij onmiddellijk zal opvolgen! Als jij kwaad in de zin hebt, zal de hond mij beschermen en is hij in staat jou te verscheuren. Het is maar dat je het weet...!"

De man schudde zijn hoofd, er lag een verdachte bibber in zijn stem, hoorde Louwina. „Ik doe jullie niks. Als het er echt op aankomt, blijk ik een enorme schijt in de broek te zijn, merk ik nu zelf." Hij haalde adem en boog weer zijn hoofd toen hij bekende: „Ik had opdracht gekregen de hond dood te schieten. Ik heb enkel een schot in de lucht gelost, ik kon de loop niet op de hond richten. Daar zal ik voor gestraft worden, maar dat kan me niks meer schelen. Niets doet er nog toe, helemaal niets..."

Vanwege zijn woorden, en door de verloren indruk die hij wonderlijk genoeg op haar maakte, kreeg Louwina medelijden en dat deed haar zeggen: „Laten we even op een bank gaan zitten, je ziet er niet uit, man!" Nu ze absoluut geen greintje angst meer voelde, kon ze de leiding nemen en dat deed ze door hem aan te sporen: „Nou, kom op, het lijkt nu warempel wel of de rollen zijn omgekeerd en jij bang bent voor mij!"

Toen de man zijn benen in beweging zette begon Karel weer te blaffen en kalmeerde Louwina hem opnieuw. Met dezelfde woorden van daarnet. „Rustig maar, het is goed volk." Belachelijk gewoon, flitste het door haar heen, dat ik dat almaar zeg terwijl ik er geen flauw benul van heb wie ik tegenover me heb. Ik volg domweg mijn intuïtie, die zegt me dat hij niet gevaarlijk is, zeker weten doe ik het echter niet...

Toen ze een eind uit elkaar op een bank zaten en Karel zich nu berustend aan Louwina's voeten neerlegde, keek zij de man van opzij aan. „Ik vind dat ik recht heb op enige verklaring, want je hebt me zopas de stuipen op het lijf gejaagd! Ik kom namelijk niet elke dag een man tegen met een revolver in zijn hand. Een wildvreemde die gek genoeg weet hoe ik heet. Het een en ander is voor mij een bijzonder onprettige gewaarwording, dat mag je gerust weten."

Terwijl Louwina sprak had de man onafgebroken haar gezicht bestudeerd. Nu ze zweeg en hem vragend aanzag, noemde hij geen naam, maar hij wist niet hoeveel hij Louwina toch duidelijk maakte. „Jij bent helemaal geen truttebol! Je bent hartstikke dapper, koelbloedig, zou ik bijna willen zeggen. Andere vrouwen in jouw positie, zouden zijn gaan gillen en hard zijn weggerend, jij deed het tegenovergestelde. Met een bepaald overwicht hield jij mij onder de duim. Knap, hoor!"

„Laat maar, ik heb geen belang bij complimentjes op het verkeerde moment. Jij zei eerder dat jij opdracht had gekregen om Karel dood te schieten. Ik moet er niet aan denken dat je dat daadwerkelijk zou hebben gedaan. Maar ik had achteraf bezien kunnen weten dat Anton Schuitema jouw opdrachtgever is!"

Hij keek haar geschrokken aan. „Hoe weet jij dat... ik heb die naam niet genoemd, hoor!"

Louwina glimlachte mat. „Er is er maar één op de hele wereld die mij truttebol noemde. Dat is Anton, wie ben jij eigenlijk?"

Hij trok onwillig met zijn schouders, zijn blik was gericht op Karel die met zijn indrukwekkende kop op Louwina's voeten in slaap was gesukkeld. „Normaliter zou ik mijn naam verzwijgen, maar het kan me allemaal niets meer schelen. Ik kan dit hopeloze leven niet langer aan, ik kap ermee. Ik heet Koen. Koen de Roos."

Heel vaag kwam die naam Louwina bekend voor, maar vanwege de emoties van het moment schonk ze er geen verdere aandacht aan. Ze keek Koen van opzij aan en zacht vroeg ze: „Ben je verslaafd aan drugs, omdat je het over een rottig leven had?"

Hij schudde beslist van nee en onderstreepte dat gebaar met woorden. „O nee, ik raak geen drugs aan, daar ben ik als de dood voor. Dat wil echter niet zeggen dat ik een lieverdje ben, ik deug voor geen meter... Zo goed ken ik mezelf wel, ik wist echter niet dat ik al zo diep was gezonken dat ik onschuldige dieren iets aan zou kunnen doen. Het was in één woord verschrikkelijk, dat doe ik dan ook nooit meer!" Hij streek tersluiks langs zijn ogen en dat ontging Louwina niet.

„Je moet het voor jezelf niet moeilijker maken dan het is," adviseerde zij in medelijden, „je hebt Karel immers niets aangedaan. Je kwam vroegtijdig tot bezinning, wees daar maar een beetje trots op!"

„De hond is de dans gelukkig ontsprongen, de pony helaas niet. En zo'n stom dier kan niet beseffen dat ik meer pijn heb geleden dan zij..." Koen schudde vertwijfeld zijn hoofd, en Louwina staarde hem een moment stomverbaasd aan. „Heb jij... Tamara zo toegetakeld...? Maar hoe kan dat dan, Wout zei dat ze zichzelf verwond had aan een spijker of aan een stuk uitstekend ijzerdraad?"

Nu keek Koen haar verbaasd aan. „Heeft hij dan niet verteld over het briefje dat ik van tevoren bij jullie in de brievenbus heb gestopt? Daar had Anton met uitgeknipte en opgeplakte letters op duidelijk gemaakt dat de pony zichzelf niet had verwond. Ik moest dat gekke briefje bij jullie in de bus doen voordat ik de volgende opdracht uitvoerde. Ja... ik heb het gedaan, met een schroevendraaier en in opdracht van Anton. Ik heb hem maar één keer ontmoet, wel een paar keer door de telefoon gesproken, maar uit de verhalen die ik over hem heb gehoord, vrees ik dat hij mij op zijn minst een kopje kleiner zou willen maken als hij erachter komt dat ik zijn naam heb genoemd. Waar ben ik in vredesnaam in verzeild geraakt, het enige wat ik nog kan doen is naar de politie gaan en mezelf aangeven..." besloot hij somber.

Veel later zou Louwina zich afvragen of ze het zelf had bedacht of dat ze een ingeving had gekregen. Nu zei ze gewoon wat ze niet kon nalaten. „Volgens mij kun je maar beter eerst naar Wout gaan om je excuses over Tamara aan te bieden. Jij voert opdrachten van Anton uit, wij worden door hem bedreigd. Wat jij de pony hebt aangedaan zal Wout je niet in dank afnemen, hij zal het echter zeer op prijs stellen als jij hem het een en ander over Anton zou willen vertellen!"

„Ik durf Wout niet onder ogen te komen... Mijn naam zegt jou niets, Wout echter wel."

„Hoezo, druk je eens wat duidelijker uit!"

„Mijn vader, Jan-Willem de Roos, is destijds hertrouwd met Klaartjes moeder, Toos Kingma. Vind je ook niet dat het allemaal akelig dichtbij komt...?"

Louwina lachte. „Als je nog even doorgaat, zijn we familie!" Ze was de ernst zelve toen ze verder ging. „Als ik dit aan Wout en Marjet vertel, zouden zij het me hoogst kwalijk nemen als ik je niet mee naar huis had genomen. Toe, Koen, ga alsjeblieft mee en geloof me als ik zeg dat Wout geen boeman is! Integendeel, hij is zo integer als een mens maar zijn kan. Ik voel nu heel sterk aan dat jij mensen moet ontmoeten die totaal anders zijn dan Anton. Ik weet waar ik het over heb, ik heb een tijd met Anton samengewoond. Na de ellende met hem leerde ik Wout en Marjet kennen en dat goede gun ik jou ook. Maar goed, als jij je blijft verzetten, is dat jouw zaak. Als je maar niet vergeet, dat Wout jou nu zal weten te vinden! Hij kan Klaartje bellen, zij kent het adres van haar moeder en stiefvader en dat is dus ook jouw adres!

Zie je hoe eenvoudig het voor Wout zal zijn?"

„Je hebt het mis, ik woon allang niet meer thuis. Net als Klaartje met haar moeder, heb ik geen contact meer met mijn vader en diens vrouw."

„Waar woon je dan nu?"

„Overal en nergens."

Hoewel Louwina het fijne ervan niet wist, voelde ze aan dat Koens problemen groter waren dan zij tot dusverre had kunnen vermoeden. In medelijden met hem stond ze resoluut op en gebiedend zei ze: „Kom op, Koen de Roos, je hebt niks te willen. We gaan naar Wout en ik weet nu al haast wel zeker dat hij je helpt zoals ik je zou willen helpen."

„Ik zei toch al dat ik voor geen meter deug, waarom zouden jullie iemand als ik dan willen helpen. Dat begrijp ik dus niet!"

Louwina's gedachten schoten ver terug in de tijd, in haar verbeelding hoorde ze Wout iets tegen haar zeggen dat zij nu herhaalde tegen Koen. „Het is Wout en de zijnen met de paplepel ingegeven dat je je naasten nooit ofte nimmer in de kou mag laten staan. Wout is ervan overtuigd dat een medemens je naaste is omdat dat Gods bedoeling is. Jij hébt hulp nodig, Koen, alleen al vanwege het feit dat je in handen bent gevallen van Anton! En geloof me maar gerust als ik zeg dat Wout ook jou als een naaste wil beschouwen. Als je tenminste eerlijk tegen hem bent. Vooral open en eerlijk waar het Anton betreft. Ik ken hem als geen ander, hij is een crimineel die nergens voor terugdeinst. Het kan hem echt niets schelen wat er met jongens als jij gebeurt, zolang hij aan je kan verdienen, mag jij van hem door de goot kruipen. En dan nog zal hij lachend toezien ook."

„Je vertelt me geen nieuws." Koen keek donker voor zich uit, Louwina observeerde hem heimelijk van opzij. Ze waren inmiddels onderweg naar huis en stil bedacht ze dat ze Koen de Roos een knappe vent vond. Hij was een kop groter dan zij, hij had een slank postuur en kort geknipt, dik blond haar. Eerder had ze al gezien dat hij grijsgroene ogen had, nu zag ze dat hij volle lippen had waardoor zijn ietwat brede mond iets gevoeligs kreeg. Hij was gewoon een leuke knul om te zien en bang hoefde ze voor hem niet te zijn, ze voelde instinctief aan dat het woord medelijden eerder aan de orde kwam. Hoe kwam iemand als Koen, die er keurig verzorgd uitzag, in vredesnaam in de criminaliteit terecht…?

Terwijl Louwina zich dit afvroeg liepen ze over de brug van een kanaal. Halverwege de brug bleef Koen staan, en Louwina volgde werktuiglijk zijn voorbeeld. Toen ze zag dat Koen met een welgemikte worp de revolver in het midden van het kanaal smeet, prees ze zacht: „Goed zo! Zo'n gevaarlijk ding hoort niet bij jou."

„Het brandde in mijn broekzak, een afschuwelijk gevoel…" Hij nam een adempauze en ging verder. „Ik heb nooit eerder een wapen bij me gedragen en het zal niet meer gebeuren ook! Hoe eerder het daar op de bodem van het kanaal zal liggen roesten, hoe liever het me is. Anton zal het hopelijk niet missen, hij heeft er genoeg." Hij keek haar van opzij aan, zijn verbazing lag niet alleen in zijn ogen, maar ook in zijn stem. „Ik snap nog altijd niet hoe het mogelijk is dat jij een relatie had met die man. Jij bent nog zo jong en echt verschrikkelijk mooi, terwijl Anton niet alleen van binnen lelijk is."

Het compliment dat hij haar mooi vond, deed Louwina licht blozen, en ze zei alleen dat wat ze kwijt wilde. „In het begin was hij niet zo, pas op het laatst kwam ik erachter dat hij slecht was en dat ik reden had om bang voor hem te zijn." In één adem zei ze er achteraan: „Daar, in die boerderij vlak voor ons, wonen Wout en Marjet."

Koen knikte, zijn stem klonk schor toen hij zei: „Dat weet ik, ik heb er immers heimelijk rondgespookt. Met alle kwalijke gevolgen van dien. Het is niet goed dat ik met je mee ben gegaan, dat voel ik aan mijn benen, die lijken opeens uit stukken lood te bestaan…"

„Je kunt niet meer terug, want kijk maar, Wout staat opzij van het huis en heeft ons al gezien!"

Het kostte slechts even tijd, toen stonden ze voor Wout en op zijn vragende blik praatte Louwina van de zenuwen zo snel dat ze bijna over haar tong struikelde. „Wout, ik wil je graag aan iemand voorstellen. Daarna heb ik je onzegbaar veel te zeggen. Hij heet Koen de Roos, zijn vader is toentertijd hertrouwd met Klaartjes moeder. Dat zegt je vast wel iets?"

Wouts gezicht verhelderde. „Maar natuurlijk!" Hij stak zijn hand uit waar Koen die van hem schuchter in legde. „Tot nog toe hebben wij elkaar niet persoonlijk ontmoet, je naam ken ik! Klaartje heeft het vaak genoeg over je gehad, tjonge, wat leuk om nu kennis met je te mogen maken!" De brede lach op Wouts gezicht maakte plaats voor vraagtekens toen hij Koen hoorde zeggen: „Als u alles wist, zou u heel anders praten. Op nadrukkelijk advies van Louwina ben ik hier om mijn excuses aan te bieden. Zonder haar zou ik het niet gedurfd hebben, daar ben ik te laf voor..."

Wout trok zijn donkere wenkbrauwen hoog op, hij taxeerde het gezicht van de jongeman voor zich en hoogst verbaasd nu zei hij: „Wat is dit voor onzinnig gepraat, ik kan er geen touw aan vastknopen! En je moet me niet met u aanspreken, want omdat jij de stiefbroer van Klaartje bent, ben ik voor jou gewoon Wout!"

„Het zou mooi zijn, maar dit vriendelijke verdien ik niet van u. Dat zult u met me eens zijn als ik zeg dat ik... dat ik..." Louwina zag hoe moeilijk Koen het had, ze schoot te hulp door het woord van hem over te nemen. Ze maakte Karel los die meteen om een hoek van het huis verdween, dan keek ze Wout dwingend aan. „Je moet me beloven dat je niet meteen boos wordt als je hoort wat Koen gedaan heeft! Het is heel erg, maar het heeft ook een goede kant, want dankzij Koen kunnen wij Antons adres achterhalen!" Alsof dit het belangrijkste was, zo verwachtingsvol keek ze Wout aan. Hij snapte echter minder dan de helft en zocht en vond Koens blik.

„Ik hou er niet van om aan het lijntje gehouden te worden, kom er dus mee voor de dag! Wat heb jij dan gedaan, Louwina heeft me nieuwsgierig gemaakt!"

Koen weerstond met moeite Wouts indringende blik, toch sloeg hij zijn ogen niet neer. „Ik heb de pony letsel toegebracht. Dat spijt me meer dan ik zeggen kan..."

Wout wist niet wat hij hoorde en een en al beduusdheid wist hij even geen woorden te vinden. Louwina maakte rap gebruik van de stilte die er viel.

„Zijn spijt is oprecht, daar kun je van op aan, hoor Wout! We kunnen beter naar binnen gaan, er is ontzettend veel dat we nog aan jou moeten uitleggen. Bewaar tot zo lang je boosheid, vaar alsjeblieft niet meteen tegen Koen uit!"

„Wat héb jij, of jullie samen, dat je het zo onvoorwaardelijk voor hem opneemt! Als hij Tamara werkelijk en opzettelijk heeft verwond, dan is hij met mij nog niet klaar. Laat dat duidelijk zijn!"

„Ja, ja, het is goed, kom nou eerst maar mee naar binnen!"

Ze zaten nog maar net in de huiskamer toen Marjet binnenkwam met Carmen in haar armen. „Ik werd wakker van haar gehuil en toen ik jullie zo druk hoorde praten besloot ik op te staan. En nu zie ik tot mijn verrassing dat we bezoek hebben!" Terwijl ze op Koen toeliep frunnikte ze in een verlegen gebaar even aan haar hoofddoekje. In het voorbijgaan gaf ze Carmen aan Louwina, daarna verontschuldigde ze zich tegenover Koen. „Sorry dat ik nog in mijn duster loop, ik voelde me niet lekker." Ze stak haar hand uit die Koen schudde. „Ik ben Marjet, met wie heb ik het genoegen?"

„Koen de Roos, ik denk dat Klaartje ook tegen u mijn naam weleens genoemd heeft..." Op Marjets bleke gezicht tekende zich een blijde lach af. Ze reageerde bijna net als Wout eerder had gedaan: „Ja, natuurlijk, maar wat fijn dat we jou nu ook eens in levenden lijve mogen ontmoeten! Je moet me trouwens niet met u aanspreken, ik heb me immers als Marjet voorgesteld! Ik stel het echt op prijs dat jij ons bent komen opzoeken, want..." Hier onderbrak ze zichzelf. Ze keek Wout vragend aan. „Of is het niet zo leuk als ik denk, jullie kijken alle drie zo vreemd en de sfeer is ook al niet je van het, merk ik nu?"

Het speet Wout dat hij haar teleur moest stellen, in het kort vertelde hij haar wat hij wist. Dat was nog maar bitter weinig, toch sloeg Marjet vol afkeer een hand voor de mond en viel ze tegen Koen uit: „Heb jij... onze Tamara... Lieve help, hoe kon je dat doen, wie of wat ben jij dan wel niet!" Op dat ogenblik, mede vanwege zijn schuldbewuste houding, besefte Marjet dat zij en Wout minder dan de helft wisten en dat er nog meer zou komen. Met een snelle blik op de klok bedisselde ze gejaagd: „We kunnen maar beter naar jouw werkkamer gaan, Wout, en daar verder praten. De kinderen komen zo dadelijk uit school en ik denk dat het niet wenselijk is dat zij hierin betrokken raken. Of maak ik het nu erger dan het is...?"

„Nee, Marjet," zei Louwina, „je hebt groot gelijk. Alles waarmee de naam Anton gemoeid is, moet voor jonge oren verzwegen worden. De clou zou Marieke ontgaan, maar Gijs en Jorden kunnen maar beter niet horen wat Koen jullie te zeggen heeft. Gaan jullie maar gauw, ik vang de kinderen zo meteen wel op!"

Wout, Marjet en Koen verlieten het vertrek, een halfuurtje later speldde Louwina Gijs en Jorden een leugentje ombestwil op de mouw. Dat pappa en mamma een gesprek met iemand hadden, dat ze in pappa's werkkamer zaten en niet gestoord mochten worden. Gijs haalde er laconiek zijn schouders over op, Jorden meende te kunnen weten: „Het is weer iemand die van een huisdier af moet. Met een smoes omdat ze hun beest zat zijn, het kan vanzelfsprekend ook eerlijk zijn. Dat ze er echt mee omhoog zitten. Nou ja, in beide gevallen zijn ze bij pap aan het juiste adres. Ik zou best willen dat ze een aapje kwamen afleveren, dat lijkt mij hartstikke mieters!" Gijs schudde zijn 'wijze' hoofd om zoveel onzin van zijn broer, Marieke was het met Jorden eens. Zij juichte bij voorbaat: „O, ja, en dan trokken wij hem leuke kleertjes aan en dan ging ik met hem naar het dorp! En dan waren alle meisjes jaloers op mij, want zo'n leuke speelpop heeft niemand!"

Ze waren zo druk bezig met een denkbeeldige aap dat ze Wout en Marjet niet misten. Pas toen het weer tijd werd om naar school te gaan werd er gevraagd of ze pappa en mamma wel even gedag mochten zeggen. Louwina schudde van nee. „Ze willen niet gestoord worden, daar houden wij ons dus aan!"

Ondertussen waren Wout en Marjet een stuk wijzer gemaakt door Koen. Hij had uitgebreid verslag uitgebracht over het gebeurde in het park, over wat hij met Karel van plan was geweest en waarom hij die vreselijke opdracht niet had kunnen uitvoeren. Hij had geen detail achterwege gelaten, en zo had hij ook verteld dat hij de revolver in het kanaal had gegooid. Alles, maar dan ook alles had hij de revue laten passeren, en nu besloot hij het lange relaas met een vraag aan Wout die hij nauwelijks stellen durfde. „Het spijt me allemaal echt heel verschrikkelijk, maar ik ben bang dat ik desondanks niet op een klein beetje vergeving van jullie mag rekenen...?"

Daarop zei Marjet, even zacht als ernstig: „Ik weet niet hoe Wout erover denkt, het is inmiddels echter helder en klaar tot mij doorgedrongen dat Anton jou in zijn macht heeft en vanwege dat feit weet ik heel zeker dat jij hulp nodig hebt." Hier richtte ze zich tot Wout. „Ben je het met mij eens, Wout, dat Koen er feitelijk net zo voorstaat als Louwina destijds?"

„Er begint inderdaad iets dergelijks bij mij te dagen," zei Wout bedachtzaam, „maar ik ben er nog niet klaar mee. Ik zit nog stikvol vragen die ik beantwoord wil zien." Hij stelde de vraag die op het puntje van zijn tong brandde, aan Koen. „Ken jij ene Clemens Douma, ik heb hem er namelijk de hele tijd van verdacht dat hij Tamara verwond had?"

Koen knikte bevestigend. „Ja, ik ken Clemens, via hem ben ik met Anton in contact gekomen. Ik zal Clemens echter nooit een vriend kunnen noemen, de zaken waar hij zich mee bezighoudt, liggen mij niet. En dan druk ik me zacht uit. Ik zou nooit ofte nimmer mensen kunnen bestelen en beroven. Dat, wat ik de pony heb aangedaan vind ik zo erg dat ik me zelf erom haat. Ik hou van dieren, daarom kon ik Karel niet om het leven brengen. Ik heb vroeger zelf een hond gehad waar ik waanzinnig veel om gaf. Het spijt me allemaal zo, ik wou dat u dat in ieder geval wilde geloven..."

„Ik dacht dat ik al eerder had gezegd dat je me Wout moet noemen, doe dat dan ook! Louwina had mij al overtuigd van jouw spijtgevoelens, daar zullen we het dus even niet over hebben. Ik neem aan dat jij, net als Clemens Douma, aan drugs bent verslaafd en dat jij, net als hij, de gekste capriolen moet uithalen om aan geld te komen! En lieg niet, want anders had jij Tamara, ondanks dat je een dierenvriend bent zoals je me wilt doen geloven, niet zo gemeen kunnen toetakelen!"

Koen boog beschaamd het hoofd. „Ik had geld nodig, Anton beloofde me duizend euro als ik eerst de pony bezeerde, en daarna Karel doodschoot. Het waren twee opdrachten in één deal. Ik heb geen idee waarom ik het moest doen, wat hierachter steekt, maar... Als je torenhoge schulden hebt is duizend euro veel geld. Dat voor mij zijn waarde al gedeeltelijk verloor toen ik de pijn van de pony zelf aanvoelde. Geld dat zo verschrikkelijk stinkt heeft absoluut geen waarde, dat drong klip en klaar tot me door toen ik de revolver op Karel richtte. Hij blafte toen niet, hij keek me alleen maar aan met een bepaalde blik die ik herkende van mijn eigen hond. Toen loste ik een schot in de lucht en op dat moment wist ik dat ik het ellendige leven dat ik leid de rug toe moest keren. Ik schaam me ervoor, ik wil dit niet..." Hij zond Wout een hulpeloze blik en die zei: „Het is voor jou te hopen dat je de goede weg terug zult vinden, vooralsnog heb je mijn vraag niet beantwoord. Ik vroeg of je drugs gebruikt!"

„Nee, dat niet. Ik ben een... gokverslaafde, 'k ben bang dat dat even erg is, dat je het zo mogelijk nog kwalijker mag noemen. Ik vertoef veelvuldig op renbanen waar ik op paarden inzet, de deur van een casino weet ik blindelings te vinden en zelfs een flipperkast oefent op mij een onweerstaanbare aantrekkingskracht uit. Ik wilde het niet, toch ben ik erin verzeild geraakt. Ik verfoei dit rotte leven, 'k zou dolgraag een eigen gezin willen hebben. Een lieve vrouw..." Bij dat laatste dwaalden zijn ogen heel even naar Louwina, maar dat ontging haar, want net als Wout keek zij naar Marjet. Deze zat met gesloten ogen, ze hield haar hoofd voorovergebogen. Toen Wout haar naam noemde schrok ze op. „Sorry, ik sukkelde een beetje weg, geloof ik...?" Wout was een en al bezorgdheid. „Al dit gepraat, het ingespannen moeten luisteren om de dingen op een rijtje te kunnen zetten, is veel te vermoeiend voor jou. Ik wil dat jij weer naar bed gaat, vanavond vertel ik je haarfijn hoe deze kwestie zich verder heeft ontwikkeld. Toe, Marjet, doe me een plezier!"

Zij knikte en zacht zei ze: „Ik schaam me ervoor, maar ik kan het echt niet langer volhouden. Ik sliep echter niet, ik zat te bedenken dat Klaartje moet weten dat Koen bij ons is en hoe dat zo is gekomen. Bart en Klaartje zijn als enigen op de hoogte van het feit dat Louwina en wij door Anton Schuitema bedreigd worden. Ik vind dat zij nu ook moeten weten dat hij Koen in zijn macht heeft. Bel haar even, Wout, en vraag of ze hiernaartoe komt."

Wout knikte en zei: „Je hebt volkomen gelijk! Als jij dan nu naar bed gaat, bel ik Klaartje." Hij richtte zich tot Koen en met een veelzeggende blik waarschuwde hij hem. „Je ziet en hoort dat jij niets in te brengen hebt, dat wij de boel regelen en de juiste beslissingen nemen!"

Koen wist niet wat hij hierop moest zeggen, hij zond Wout een zuurzoet lachje. Nadat Wout en Marjet het vertrek hadden verlaten, vertelde Louwina Koen in het kort wat er met Marjet aan de hand was. „Dat is niet best, daarom ziet ze er dus zo slecht uit," begreep Koen.

Intussen had Wout Klaartje aan de lijn gekregen. Zij schrok toen ze Wouts stem hoorde. „Je komt me toch hopelijk niet vertellen dat er iets naars met Marjet aan de hand is...? Bart en ik weten dat ze pas weer een chemokuur heeft gehad, of is daar soms iets verkeerd mee gegaan?"

Wout stelde haar gerust. „Nee, dat niet, maar net als de voorgaande keren voelt ze zich ook nu weer honds beroerd. Ik bel je omdat ik je iets moet vertellen en het spijt me bij voorbaat dat ik je zal moeten laten schrikken." Hierna was Wout lang aan het woord, en toen hij zweeg wist Klaartje evenveel als hij, Marjet en Louwina. Op Wouts vraag: „Het beste zou zijn als jullie even langskwamen, dan kun je met eigen oren meeluisteren naar het vervolg van het verhaal?" antwoordde Klaartje: „Dat zou ik graag willen, maar het is onmogelijk. Bart geeft momenteel theorielessen, daarna moet hij nog met een leerling de weg op. Nou ja, en ik wil graag thuis zijn als een kennisje van me Martijn thuis komt brengen. Het zou voor ons gemakkelijker zijn als jij met Koen naar ons toe kwam, is dat geen oplossing, Wout?"

Hij stemde meteen toe. „Je hebt gelijk, ik ben bij wijze van spreken, al onderweg naar je toe! En Klaartje, maak je niet meteen al te ongerust! Koen mag dan voor geen meter deugen, zoals hij zelf zegt, hij ziet er niet uit als een crimineel. Eerder als een mens in nood die schreeuwend behoefte heeft aan hulp."

„Dan is hij bij jou aan het juiste adres," oordeelde Klaartje. Nadat de verbinding verbroken was bedacht ze ietwat beschaamd dat ze dat niet had moeten zeggen. Want nu leek het net alsof zij alle verantwoordelijkheden ogenblikkelijk bij Wout neerlegde, terwijl zij goedbeschouwd dichter bij Koen stond. Maar betekende dat dan automatisch dat zij zich over hem diende te ontfermen? Louter en alleen vanwege het feit dat zijn vader en haar moeder destijds besloten samen verder te gaan? Ze had in al die jaren nauwelijks contact met Koen de Roos gehad. Ja, heel in het begin, toen ze nog wel een enkele keer een bezoekje aan mam had gebracht, was Koen er ook geweest en had ze met hem gesproken. Ze had hem toen best wel aardig gevonden. In die tijd had zij gemeend te mogen veronderstellen dat Koen en zijn vader, Jan-Willem de Roos, onderling een goede band hadden, maar daar had ze zich dan blijkbaar in vergist. Want Wout had daarnet immers verteld dat Koen, net als zij en haar zus Inge, geen contact meer met zijn vader en met mam onderhield. Wout had haar niet kunnen vertellen waar Koen dan nu woonde, zover waren ze nog niet gekomen, had Wout gezegd. Koen was hopeloos aan lager wal geraakt, alles wat ze verwacht had, dit zeker niet! En dat zijn naam in één adem genoemd werd met die van Anton Schuitema, vond ze ronduit om van te gillen. Wat was er in vredesnaam met Koen gebeurd, er moest volgens haar een reden zijn, een mens raakte toch niet zomaar van het rechte pad? Hè, bah, wat akelig opeens, ze zag er gewoon tegen op om zo dadelijk met Koen geconfronteerd te worden. Hoe moest je iemand benaderen, vroeg ze zich zorgelijk af, die willens en wetens een pony had verwond, en bovendien met het plan had rondgelopen om Karel, dat lieve dier, dood te schieten? Zo iemand deugde inderdaad voor geen meter, maar zij zou hem straks wel de hand moeten drukken! En Bart zou er niet zijn om haar mentaal te steunen, Bart wist nog helemaal van niets! Toen ze dat bedacht veerde Klaartje op van haar stoel en haastte ze zich naar het vertrek waarin de theorielessen werden gegeven. Ze opende de deur en op Barts verbaasde blik wenkte ze hem. „Kom heel even!"

Bart sloot de deur van het vertrek achter zich, op de

gang keek hij haar verbaasd aan. „Is er iets aan de hand, het is niks voor jou om te komen storen tijdens de lessen?"

In alle haast en zo beknopt mogelijk vertelde Klaartje over haar telefoongesprek met Wout, en ze besloot de uiteenzetting met de verzuchting: „Waarom heb jij het ook altijd zo druk en kan ik nooit eens een beroep op je doen op het moment dat mij het beste past!"

Bart glimlachte vertederd om de verontwaardiging die duimendik op haar gezicht lag. „Na al die jaren samen ken jij me nog maar half, je mag je schamen! Denk je nou echt dat ik er in dit geval niet voor zorg dat ik erbij aanwezig ben als Koen het verdere verloop van het verhaal gaat vertellen? Na de theorielessen zou ik met een leerling de weg op moeten, maar ik sta er gelukkig niet moederziel alleen voor! Ik heb personeel, en ik noem hen niet voor niets 'de jongens'. Pim komt zo dadelijk naar de zaak terug, dan heeft hij voor vandaag zijn uren en zijn leerlingen erop zitten. Als ik hem echter vertel dat ik een beetje in de knel zit, hoef ik al niet eens meer iets te vragen, maar zal hij uit zichzelf aanbieden dat hij mijn leerling overneemt. Zo zie je maar weer, popke van me, dat moeilijkheden er enkel zijn om opgelost te worden!"

„Ik weet niet of je het weet, Bart Brouwer, maar je bent een regelrechte schat! Dan ga ik nu gauw koffiezetten, vervolgens kan ik niet anders dan wachten op wat er komen gaat." De zucht die Klaartje slaakte kwam uit een vol gemoed.

❀ 7 ❀

De rit van het dorp naar de stad werd door Wout en Koen nagenoeg zwijgend afgelegd. Ze hadden de stad bereikt toen Koen bekende dat hij zich bijzonder onbehaaglijk voelde. „Ik wist de hele tijd dat Bart een bloeiende autorijschool heeft, maar tot dusverre heb ik er geen belangstelling voor getoond. Ik had andere dingen aan mijn hoofd en nu ik hopeloos in de problemen zit, zal ik zo meteen moeten zien waar Bart en Klaartje wonen en hoe goed Bart zich heeft opgewerkt. Ik ben even oud als Klaartje, ook drieëndertig, zij heeft echter meer van haar leven gemaakt dan ik. Wil je geloven, Wout, dat ik me bij voorbaat voor haar schaam...?"

Wout reageerde er zonder omwegen op. „Daar heb je dan ook alle reden toe, ik kan niet anders zeggen. Waarschijnlijk zonder het zelf te beseffen, noemde jij me voor het eerst Wout! Daar concludeer ik uit dat ik jouw vertrouwen inmiddels toch een beetje heb weten te winnen en daar maak ik mezelf blij mee. Raar misschien, maar waar."

Niet lang hierna werden ze door Klaartje begroet. Wout kreeg een warme kus op zijn wang gedrukt, daarna stak ze aarzelend een hand uit naar Koen. „Hai, lang geleden nietwaar, dat wij elkaar gezien hebben. Nou ja, beter laat dan nooit."

„Dat weet ik nog zo net niet," kwam het somber, maar Klaartje besloot er niet op in te gaan. In plaats daarvan zei ze met een brede armzwaai: „Zoek je een stoel, dan schenk ik koffie in. Vier kopjes," glunderde ze tegen Wout, „want in tegenstelling tot wat ik door de telefoon zei, zal Bart van de partij zijn! Hij kan elk moment binnenkomen en ik hoef me geen zorgen om Martijn te maken, want hij vermaakt zich kostelijk en wordt weer thuisgebracht. Tegen de middag kreeg ik een telefoontje van de moeder van een vriendje van Martijn. Omdat het woensdagmiddag is en de kinderen vrij van school zijn ging zij met haar zoontje, Stefan, naar het zwembad en ze vroeg of ze Martijn mee mocht nemen. Ze vond het gezelliger voor Stefan als zijn vriendje meeging en dat is waar, want die twee kleine knulletjes zijn zowat onafscheidelijk. Martijn wordt tegen de avond weer thuisgebracht, hoe laat precies kon Kristina niet zeggen. Want na het feest in het zwembad heeft zij nog iets leuks bedacht, dan neemt zij de jongens mee naar McDonalds. Wat zullen ze smullen van de ongezonde kost, voor een keertje zullen ze er echter niks van krijgen. Nemen jullie vast een plakje cake enne... wat zit ik zenuwachtig te rebbelen, hè...?" Ze sloeg haar ogen op naar Koen en zacht zei ze tegen hem: „Mijn zenuwen zijn me een beetje de baas, ik denk dat het jou niet veel beter gaat." Koen knikte, maar hij kon er niet verder op ingaan want Bart stapte binnen. Hij gaf eerst Wout een hand, daarna Koen. En net zoals het de anderen verging, vond ook Bart het een ongemakkelijke situatie. Dat bleek toen hij tegen Koen zei: „Klaartje heeft me zopas in de gauwigheid het een en ander verteld, ik moet zeggen dat ik jou liever onder andere omstandigheden de hand had gedrukt. Ik weet nu even niet goed wat ik ermee aan moet en dat is eigenlijk niks voor mij."

„Ik had niet moeten komen. Sorry voor de overlast die ik jullie bezorg..." Koen boog beschaamd zijn hoofd. Er viel een pijnlijke stilte die Klaartje op een gegeven moment verbrak.

„Ik hoorde van Wout dat jij niet meer bij je vader en mam woont. Ik zat me af te vragen of jij dan wellicht een meisje hebt met wie je samenwoont?"

„Ik heb inderdaad met een meisje samengewoond, met Viola. Ze heeft me het gat van de deur gewezen en gelijk had ze."

„Waar woon jij dan nu?" Klaartje keek hem vragend aan, maar Koen zweeg geruime tijd. Het kostte hem de nodige moeite te moeten zeggen: „Ik ben dakloos, een zwerver die op straat leeft."

Wout en Bart wisselden een snelle blik van verstandhouding, en Klaartje zei geschrokken: „O, maar Koen... wat erg voor je! Waar slaap je dan en krijg je wel voldoende te eten?"

„Je moet je om mij geen zorgen maken, dat verdien ik niet. Het is allemaal mijn eigen stomme schuld. Vroeger keek ik minachtend neer op dakloze mensen. Ik peinsde er bijvoorbeeld niet over om een straatkrant te kopen van iemand die daarmee stond te leuren, zoals ik het toen noemde. In plaats van een krant te kopen of hem zomaar wat geld toe te stoppen, heb ik zo'n man vaak genoeg toegesnauwd dat hij maar liever moest gaan werken voor de kost. „Dat moet ik ook, jij bent er gewoon te beroerd voor, te lui!" In die tijd was ik er voor mezelf van overtuigd dat geen mens dakloos hoefde te zijn, nu weet ik dat je het zomaar kunt worden. Zonder het te willen."

Koen schudde vertwijfeld zijn hoofd en zweeg, maar Wout spoorde hem aan verder te gaan. „Misschien zullen wij wat meer begrip voor dergelijke omstandigheden kunnen opbrengen als jij ons vertelt hoe het met jou zo ver is gekomen. Er is een tijd geweest dat jij een normaal leven leidde, je had zelfs een meisje, heb ik begrepen, ook een baan, neem ik aan?"

Koen knikte en na een aarzeling stak hij van wal en gaandeweg kregen de anderen een idee over zijn levenslot. Hij vermeed oogcontact met alle drie, het leek zelfs alsof hij zich alleen waande, alsof hij hardop in zichzelf praatte. „Ik had een goedbetaalde kantoorbaan, Viola is verpleegster. Ze is een mooi, lief meisje dat weet wat ze wil. We hielden van elkaar, pa en Toos, Klaartjes moeder, waren ook tevreden over haar. Toen wij te kennen gaven dat we wilden gaan samenwonen hadden ze daar geen van beiden bezwaar tegen. Pa zei toen dat hij mij het geluk in de liefde gunde, Toos vond dat het de hoogste tijd werd dat ik op eigen benen ging staan. 'Ik heb geen last van mijn eigen dochters, waarom zou ik het dan nog langer van jou moeten hebben.' Dat zei Toos, zo denkt zij erover. Viola en ik waren gelukkig, de flat die we huurden was klein, we konden het er echter mee doen. Viola had alleen vreselijk veel moeite met het kleine balkonnetje dat zo smal was dat er geen stoel op paste. En dat, terwijl zij een buitenmens was, een zonaanbidster. Omdat we tweeverdieners waren en we het ons konden veroorloven, besloten we een stacaravan te kopen die op een camping onder de rook van de stad stond. Het vooruitzicht dat we daar vanaf het vroege voorjaar tot in de herfst in zouden kunnen wonen, lokte ons allebei. Ik ging naar de bank voor een lening die zonder moeite verstrekt en op mijn rekening gestort werd. We konden de caravan echter niet meteen kopen, de toenmalige eigenaren lieten een zomerhuisje op een van de eilanden bouwen en daar moesten wij op wachten. Het zou nog maanden duren voordat wij onze optie op de caravan over konden laten gaan in koop. Nou ja, het geld stond veilig op de bank, de rente was mooi meegenomen, vond Viola. In die tijd waagde ik eigenlijk al te vaak een gokje in diverse casino's als Viola weekenddienst had. Ik had veel geluk, 'k won bijna elke keer. Dat verzweeg ik voor Viola, ik wilde haar ermee verrassen. Ik was er voor mezelf van overtuigd dat het geluk met me zou zijn in elk gokhuis waar ik zou verschijnen. Ik zou steeds meer winnen, hogere bedragen dan tot dusverre het geval was. Ooit zou ik zoveel gewonnen hebben dat we niet alleen de caravan, maar ook een eigen huis zouden kunnen kopen. Dat was mijn droom en die deed mij denken dat er op een slimme manier machtig veel geld te winnen viel. Door die gedachten, en vanwege de droom die ik waar wilde maken, raakte ik overgeleverd aan een niet meer te stuiten goklust. Ik bezocht toen niet meer alleen casino's, maar ook draverijen, en aan gokhallen met flipperkasten en dergelijke kon ik ook al niet meer voorbijlopen. Met ongekende overmoed zette ik grof in, hoe eerder mijn doel verwezenlijkt werd hoe liever het me was. Het eind van het liedje kent elke gokker: je verliest uiteindelijk alles wat je eens won en veel meer dan dat. En dan word je overvallen door een radeloze, angstaanjagende paniek en verlies je ook nog eens elk gevoel voor realiteit. In plaats van te stoppen ga je verder, almaar verder, want je wilt het terugwinnen. Zo verging het anderen, maar ook mijzelf. In een recordtijd had ik niet alleen het geld van de lening voor de caravan erdoor gedraait, maar had ik tevens een enorme huurschuld opgebouwd voor de flat waarvan het huurcontract op Viola's naam stond. Het gevolg daarvan waren dreigbrieven die ik een tijdlang voor Viola kon wegmoffelen, totdat zij een dergelijk schrijven bij toeval in handen kreeg. Toen kon ik er niet meer onderuit en moest ik, zogezegd, met de billen bloot. Toen moest ik niet alleen bekennen dat ik al het geld had vergokt, maar ook opbiechten dat ik mijn ontslag gekregen had. Om toch maar zo veel mogelijk tijd te hebben om te gokken, was ik dagen, soms weken achtereen niet op mijn werk verschenen en ook dat brak me op. Mijn baas was mijn gedrag meer dan beu, ik kreeg op staande voet ontslag. Eigen schuld, dikke bult, zo is het wel, toch was het allemaal geen pretje. Viola had het er verschrikkelijk moeilijk mee. Zij had de hele tijd van niets geweten, in volle onschuld was ze gewoon van me blijven houden. We hadden elk een eigen bankrekening en tot op de dag van vandaag ben ik blij dat ik die van Viola niet geplunderd heb. Ik heb er nooit een cent van afgehaald, Viola voldeed per omgaande de achterstallige huurschuld. Zodoende kon zij in de flat blijven wonen, mij wees ze de deur. Haar vertrouwen in mij had een dusdanige deuk opgelopen dat haar liefde voor mij in één klap over was. Ze gruwde van me, dat kon immers niet uitblijven, toch kwam het hard aan dat ze dat onomwonden, recht in mijn gezicht zei. Zoals mijn baas er zonder pardon een punt achter had gezet, zo verbrak Viola onze relatie en kwam ik zonder werk, zonder een vast adres op straat terecht. Daar leerde ik, onder anderen, Clemens Douma kennen.

Hij mag van geluk spreken dat zijn ouders hem niet laten vallen.” Voor het eerst nam Koen een adempauze, tot hiertoe was hij door geen van de anderen onderbroken. Ze hadden alleen maar met stijgende verbazing naar zijn uiteenzetting geluisterd. Nu Koen zijn mond sloot opende Klaartje die van haar. „Bedoelde je met dat laatste dat je vader en mijn moeder jou niet opvingen?”

„Ze wilden niets meer met me te maken hebben, ze dachten net als Viola en dat is hun niet kwalijk te nemen. Wat ik mezelf nooit zal kunnen vergeven is dát ik – weliswaar in nood – met hangende pootjes bij hen aanklopte. Ik vroeg om tijdelijke onderdak, om een bed en een hapje eten, maar alweer net als Viola, wezen ook zij me de deur. Toen werd de straat mijn thuis, de blote hemel 's nachts een deken. Dit zeg ik niet om me te beklagen, ik weet als geen ander dat het allemaal mijn eigen schuld is.”

Toch keur ik de manier van doen van Jan-Willem en van mam niet goed, flitste het door Klaartje heen. Je zet geen hond in nood op straat, laat staan een mens. Ze vatte het plan op om haar moeder er per telefoon over aan te spreken, maar op dat moment hoorde ze dat Wout het woord nam en luisterde ze naar hem.

„Je zei dat je Clemens op straat had leren kennen, en via hem ben je in contact gekomen met Anton Schuitema. Is deze veronderstelling van mij juist?”

Koen knikte beamend. „In de begintijd van mijn straatleven wees Clemens mij een beetje de weg. Hij gaf me adressen van slaaphuizen waar ik op gezette tijden af en toe een nacht mocht doorbrengen. Het was voor mij een weelde om weer eens in een bed te slapen, van een ontbijt te genieten, van een warme douche vooral. Clemens en ook anderen wezen me erop dat ik niet zonder geld hoefde te zitten, ze vertelden hoe eenvoudig het was om ergens in te breken, of mensen te beroven. Maar dat wilde ik per se niet, dat ging me veel te ver. Het kleine beetje eigenwaarde dat ik nog over had gehouden wilde ik niet ook verliezen. Op een keer zei Clemens dat hij een man kende die een klusje voor me had waar ik duizend euro mee kon verdienen. Het bedrag dat mij in het vooruitzicht werd gesteld oefende een bijna magnetische aantrekkingskracht op me uit. Ik hoopte er ergens in de stad een kamertje van te kunnen huren. Een eigen onderkomen zou voor mij een nieuwe start betekenen. Want als ik weer een vast adres had, zou ik een uitkering kunnen aanvragen en vervolgens een nieuwe baan kunnen gaan zoeken. Het gokken, dat wist ik toen al, zou ik definitief de rug toekeren. Met die gegevens in mijn achterhoofd kwam ik bij Anton terecht. Ik schrok me wild toen hij me de opdrachten gaf die jullie inmiddels bekend zijn, maar ik kon er geen nee op zeggen. Ik had het geld bitter nodig, 'k vond het al vervelend dat Anton zei dat ik er toch zeker nog een veertien dagen op zou moeten wachten, dat dit zo zijn werkwijze was waar ik mij bij aan te passen had. Graag of niet, de keus was aan mij. Ja, toen heb ik dat mooie paardje met zijn grote bruine ogen, pijn moeten doen... Het diertje had eerst niks in de gaten, ik beklopte het, praatte er zachtjes tegen. Pas toen ik haar vertrouwen gewonnen had hanteerde ik vliegensvlug de schroevendraaier. En toen kon ik net op tijd opzijspringen, want ze sloeg vervaarlijk met haar achterbenen. Goedbeschouwd had ze me eigenlijk eventjes flink moeten raken. Zo is het gegaan, de rest, dat met de hond Karel, is jullie bekend. Het spijt me allemaal verschrikkelijk, 'k wou dat slechts een van jullie dat zou kunnen geloven..."

Koen boog weer beschaamd zijn hoofd. Klaartje kon het zelf nauwelijks bevatten, toch was het waar dat ze opeens diep medelijden met hem had. Ze zag dat Bart in gedachten verzonken naar Koen staarde, en ze hoorde Wout zeggen: „Het is me allemaal een stuk duidelijker geworden, tot dusverre heb jij echter voor ons verzwegen waar Anton woont, waar ik hem zou kunnen vinden! Vertel me dat dan nu maar, want daar ben ik mee geholpen!"

Koen hief zijn hoofd weer op, hij wierp Wout een goudeerlijke blik toe. „Het spijt me dat ik je moet teleurstellen, maar ik weet niet waar hij woont. Echt waar, niemand die in die kringen verkeert, weet waar Anton Schuitema woont. Hij ontvangt iedereen – mij toen ook – op een zolderkamertje van een huis ergens in de binnenstad. Dat huis zou ik je kunnen wijzen, maar daar woont hij dus niet. Bij gelegenheid huurt hij het zolderkamertje van een oudere dame die niet beter weet dan dat Anton er mensen ontvangt die hij gratis masseert tegen hun reumatische aandoeningen. Dit verhaal heb ik niet van Anton, maar van Clemens. Zo vertelde hij me ook dat Anton de vrouw van wie hij het kamertje huurt, op de mouw heeft gespeld dat hij over geneeskrachtige gaven in zijn handen beschikt, dat hij thuis een praktijk had. Zijn vrouw – volgens Clemens heeft hij helemaal geen vrouw – is een geldwolf en wil niet dat hij mensen die het niet betalen kunnen, gratis helpt. Omdat Anton zijn 'goedheid' jegens die mensen niet kan onderdrukken, huurt hij dus dat zolderkamertje om juist die mensen toch te kunnen helpen. De verhuurster gelooft Anton op zijn woord, in volstrekte onkunde dweept ze met Antons loyaliteit waardoor ze niet inziet dat ze te maken heeft met een zeer louche type. Met dit verhaal wil ik je alleen maar duidelijk maken dat jij bij die vrouw geen stap verder zult komen." Hier wierp Koen een vluchtige blik op zijn horloge, en tegelijkertijd slaakte hij een onhoorbare zucht. „Ik moet er nu maar weer eens vandoor. Dankzij het feit dat Wout me mee naar de stad genomen heeft waar ik zijn moet, kan ik nu te voet mijn plek weer opzoeken. Sorry, voor wat ik jullie heb aangedaan. Willens en wetens, want Clemens heeft me achter Antons rug om verteld wie de eigenaar was van de pony en van de hond. Hij zei me ook dat de vrouw op wie ik in het park moest wachten, Louwina heette en dat zij bij jullie woonde. Ze zou absoluut verschijnen, had Anton gezegd, want met de hond legde zij elke dag precies dezelfde route af. Het klopte allemaal, ook mijn veronderstelling van toen, dat Louwina Bart en Klaartje moest kennen. Het doet er niet meer toe, ik zit jullie inmiddels al veel te lang in de weg..." Hij stond abrupt op en wist niet wat hij hoorde, niet hoe hij kijken moest, toen Klaartje gebiedend zei: „Jij blijft hier, ga dus maar weer zitten!" Op hetzelfde moment drong het tot Klaartje door dat ze nu, zonder Bart erin te betrekken, toch wel erg eigengereide stappen ondernam. Ze zocht Barts blik en zacht vroeg ze aan hem: „Ben je het met me eens, Bart, dat wij een mens in nood de straat niet op mogen jagen? Dat onmenselijke moet ons maar liever vreemd blijven...?"

Bart glimlachte. „Jij zegt wat ik een poosje geleden al bedacht had. We hebben een logeerkamer en het is een kleine moeite om de tafel voor vier mensen te dekken in plaats van voor drie." Bart keerde zich naar Koen die beduusd weer was gaan zitten. „Je bent welkom bij mij en Klaartje. Daar hoef je niet zo diep van te kleuren, je kunt beter een keer diep ademhalen en een gedeelte van de te zware bagage van je schouders schudden!"

Koen wist echt niet wat hem overkwam en stotterde: „Hier begrijp ik dus helemaal niets van...! Ik moet dromen, want dit kan gewoon niet. Want waarom zouden jullie jegens mij een en al goedheid zijn terwijl ik me juist zo schandalig slecht heb gedragen ten opzichte van Wout en Marjet. Wout zal jullie plan dan ook vast niet toejuichen, hij wil niets liever dan dat ik zo snel mogelijk weer uit zijn leven verdwijn. Begrijpelijk toch..." Koen streek vertwijfeld met beide handen door zijn dikke, blonde haren. Hij stopte abrupt met dat zenuwachtige gebaar toen Wout iets zei wat hem bekend voorkwam omdat Louwina ook iets dergelijks had gezegd. „Net als Bart en Klaartje zijn Marjet en ik ervan overtuigd dat God graag wil dat wij een medemens als een naaste beschouwen. Nou, en die laat je nooit ofte nimmer in de kou staan. Zo eenvoudig is het voor ons. Bart en Klaartje zullen jou datgene geven waarmee wij Louwina er destijds weer bovenop kregen. Ik durf nu al te voorspellen dat jij niet zult weten wat jou in dit huis te beurt zal vallen!" Wout zweeg, en Klaartje achtte het nodig eraan toe te voegen: „Een mens mag niet het eerst aan zichzelf denken, altijd eerst aan een ander. Met deze instelling hebben Wout en Marjet Louwina geholpen, precies zo, Koen, willen Bart en ik er voor jou zijn."

Koen voelde opeens een hinderlijke brok in zijn keel die hij manhaftig probeerde weg te slikken. Het hielp hem weinig, want zijn stem klonk aangeslagen. „Ik weet niet wat me overkomt. De warmte die me geboden wordt, de medemenselijkheid, 'k ben het... een beetje verleerd hoe ik daarmee moet omgaan..." Hij keek beurtelings van de een naar de ander, in zijn ogen lagen geen tranen, ze glinsterden echter wel verdacht vochtig. En dat hij nog niet geloven kon wat hem nu overkwam, liet hij blijken door schorrig aan Bart te vragen: „Meende jij dat nou echt, dat je het met Klaartje eens bent? Hoef ik niet de straat op, kan ik hier blijven...?"

Bart knikte. „Dat heb je goed begrepen! Er zijn uiteraard wel voorwaarden aan verbonden die terdege besproken dienen te worden. Met een vast adres dat wij je zullen verschaffen, kun jij in ieder geval aanspraak maken op een uitkering. Waar geen rooie cent van vergokt wordt want daar dient zo snel mogelijk een eind aan te komen! Heb je de bedoeling meegekregen!?"

„Ja, zeker, en geloof maar dat ik jullie niet zal teleurstellen! Het schijnt moeilijk te zijn om van een verslaving af te komen, ik kan jullie nu echter al garanderen dat het mij zal lukken! Omdat ik het zelf wil, vooral omdat ik me niet nog dieper voor jullie wil schamen. Ik zal mijn uiterste best doen, proberen zo gauw mogelijk weer een baan te vinden. Dan kan ik weer iets huren en zal ik jullie niet langer voor de voeten hoeven lopen. Wie had dit nou ooit kunnen dromen," verzuchtte hij er achteraan.

Wout vatte de verzuchting van Koen op als een vraag die hij beantwoordde. „Dat had niemand van ons kunnen bedenken. Zo is het leven, je kunt bij wijze van spreken nog geen vijf minuten van tevoren bevroeden wat er op je pad zal verschijnen aan goed of kwaad. Een mens mag naar hartenlust wikken en wegen, de beslissing ligt louter en alleen bij God!"

Die uiteenzetting van Wout, zo vol waarheid, riep bij Klaartje een vraag op die ze aan Koen stelde. „Ik herinner me dat mijn moeder en jouw vader naar dezelfde kerk gingen, ben jij ook gelovig?"

Koen stiet een wrang lachje uit. „Heb jij weleens een zwerver in de kerk zien zitten, ik nog nooit! Je schaamte is zo allesoverheersend groot dat de drempel van de kerk voor jou veel te hoog is geworden. Vroeger gingen Viola en ik niet elke zondag, maar toch wel regelmatig een dienst bijwonen. Maar dat was vroeger, die tijd ligt in mijn geheugen eeuwen ver van me verwijderd."

Klaartje wilde erop ingaan, maar op dat moment ging de bel van de voordeur over en ze haastte zich om open te doen. Het was Kristina, zij kwam Martijn thuisbrengen. En nee, ze wilde niet binnenkomen. „Het is te laat voor een gezellig babbeltje onder ons, ik moet zorgen dat er voor mijn man een warme hap op tafel komt!"

Met een snelle blik op haar horloge zei Klaartje verwonderd: „Tjonge, is het dan al zo laat? Dan zal ik jouw voorbeeld snel moeten volgen! Bedankt, hoor, voor de fijne middag die jij Martijn hebt bezorgd!" Kristina wilde van geen dank weten, zij liep op haar auto toe, en Klaartje zocht met Martijn aan de hand de woonkamer weer op. En daar liep Martijn onbevangen op Koen toe. „Ik weet dat jij een poosje bij ons komt wonen en ook dat jij Koen heet! Want dat heeft mamma mij op de gang snel in het oor gefluisterd!"

Koen glimlachte vertederd naar het parmantige kereltje. „En ik weet dat jij Martijn heet, want dat heeft jouw mamma aan mij verteld! Ik weet echter nog niet hoeveel jaar jij bent?"

Martijn stak een hand op. „Vijf jaar ben ik, groot al, hè?" Hierna kroop hij bij Bart op schoot en hoewel hij zich 'groot' voelde, stak hij als het kleine jochie dat hij was zijn duim in zijn mond en het kostte hem zichtbaar moeite om zijn oogjes open te houden.

„Hij is aan het eind van zijn Latijn," zei Klaartje, „maar dat mag geen wonder heten na zo'n enerverende middag. Praten jullie verder, ik verdwijn in de keuken. Ik had helemaal niet in de gaten dat het al tegen zessen liep, gelukkig heb ik een gemakkelijk gerecht dat ik vanochtend al klaargemaakt heb. Ik hoef de schotel nu alleen nog maar in de oven te schuiven en de soep van gisteren warm te maken. Met een schaaltje vla uit een pak na, zullen we niets tekortkomen. Ik reken erop dat jij een hapje met ons mee-eet, hoor Wout!"

„Als dát zou kunnen," lachte deze, „ik had de tijd ook niet in de gaten gehouden, en naar alle waarschijnlijkheid heeft Louwina het eten klaar en zou ik bij thuiskomst de hond in de pot vinden. Flauwekul natuurlijk, toch schuif ik zo dadelijk graag bij jullie aan."

Toen het zover was gaf Martijn te kennen dat hij niet aan tafel wilde komen omdat zijn buikje al vol zat met frietjes en nog veel meer lekkers. Vanzelfsprekend toonde Klaartje begrip. „Jij hoeft echt niet voor noppes op een rechte stoel aan tafel te zitten, hoor schat. Ga maar lekker languit op de bank liggen, dan rust je lekker uit."

Moe als het ventje was liet hij zich dit geen tweemaal zeggen en tot vermaak van de anderen viel hij in een mum van tijd in slaap.

De soep werd stilzwijgend opgelepeld, en toen Klaartje daarna de ovenschotel op tafel zette die er verrukkelijk uitzag, prees Wout haar. „Je bent een ware keukenprinses, geen wonder dat Bart nog altijd stapeldol op je is. Want wordt er niet beweerd dat de liefde van een man door zijn maag gaat? Eerlijk gezegd vind ik het een stomme uitdrukking die kant noch wal raakt."

„Het smaakt zoals het eruitziet: overheerlijk," prees Koen, en in volle ernst ging hij verder: „Toch voel ik me een vreemde eend in de bijt. De gratis maaltijd zou me nog lekkerder smaken als ik wist dat ik er iets voor terug kon doen. Ik doe dan ook niet anders dan hopen dat jij de eerstkomende tijd klusjes voor me zult hebben, Bart?"

Bart zag de bezwaarde blik in Koens ogen en haastte zich hem gerust te stellen. „Als er een leswagen ongebruikt bij huis staan, wat gelukkig niet vaak voorkomt, zal die gewassen en in de was gezet moeten worden. In de tuin is altijd wel iets te doen en verder zal Klaartje ook nog wel werkzaamheden voor je hebben waardoor zij het even iets gemakkelijker krijgt. We gaan ervan uit dat dergelijk geklus tijdelijk voor jou zal zijn, dat je snel een baan zult vinden waar je genoegen aan beleeft. Want het is zeer belangrijk dat een man plezier heeft in zijn werk!"

Koen reageerde er somber op. „Daar zeg je wat, toch zie ik het donker in. Ik kan me gek solliciteren, maar met mijn verleden zal er geen baas op mij zitten te wachten. Het lijkt me bij voorbaat geen pretje om keer op keer afgewezen te zullen worden en dat zit er voor mij toch echt dik in. Het zullen de naweeën blijken te zijn van een verdorven leven..."

„Kom nou zeg, je kunt het ook te zwartgallig bekijken, hoor!" Bart wierp Koen een bestraffende blik toe, daarna probeerde hij hem opnieuw op te beuren. „Vanwege mijn bedrijf heb ik hier en daar connecties bij wie ik een goed woordje voor je zal doen. Ik kan je uiteraard niets beloven, maar zonder hoop vaart niemand wel!"

Hierna keerde hij zich naar Wout. „Jou kennende, heb jij inmiddels plannen zitten uitbroeden! Wat doe je met Anton Schuitema, neem je een afwachtende houding aan, laat je het erbij zitten, of ga je hem alsnog opzoeken?"

„Dat laatste is niet meer zo moeilijk," opperde Wout. „Ik zou bij dat huis in de stad dat Koen me wijzen wil, kunnen gaan posten. Op een keer zal de boef gebruik moeten maken van het zolderkamertje en zal ik hem in de kraag kunnen vatten. Zo is het toch?" Hij wierp Bart een vragende blik toe waarop deze bedenkelijk zijn schouders optrok. „Ik weet het niet, Wout, of ik dat idee kan toejuichen. Vergeet niet dat je met een crimineel van doen hebt en ik vrees dat dat volk eraan gewend is een wapen bij zich te dragen. Als hij dat dan ook nog gaat gebruiken, zijn we verder van huis dan ooit. Je moet me in ieder geval beloven dat áls jij het plan in je hoofd ten uitvoer gaat brengen, je mij van tevoren een seintje geeft. Dan ga ik met je mee, twee zijn altijd sterker dan één."

De beide mannen werden onderbroken door Klaartje, haar stem klonk gebiedend. „Dat kun jij nu wel zeggen, Bart Brouwer, maar het gebeurt niet! Je denkt toch zeker niet dat ik jou ook maar enig risico laat lopen! En jij zou ook verstandiger moeten zijn, Wout! Jij bent al eens in volle onschuld met de politie in aanraking geweest, ik neem aan dat jij daar niet nog eens op zit te wachten!"

Wout trok een gezicht. „Lieve deugd, bewaar me! Maar wat moet ik dan? Lijdzaam afwachten wat die kerel nog meer met ons van plan is? Als hij erachter komt dat Koen zijn opdracht wat Karel betreft niet heeft uitgevoerd, zal hij dat beslist niet in dank aanvaarden! Wat dat betreft, Koen, kun jij je de komende tijd maar beter zo veel mogelijk schuilhouden. Ik wil je niet bang maken, maar jij weet zelf net zo goed als ik dat Anton nergens voor terugdeinst. Ik zou Clemens misschien aan de tand moeten voelen, het is volgens mij niet ondenkbaar dat hij weet wat Antons verdere plannen zijn tegen ons. Maar ja, hoe speel ik dat klaar zonder dat Jelmer erachter komt? Het is allemaal niet eenvoudig en dan heb ik het nog niet eens over Louwina. Die lieve meid is echt doodsbang dat Anton iets met Carmen uithaalt. Het idee alleen al is afschrikwekkend, maar juist daarom moeten wij bijzonder alert zijn. We kunnen niet voorzichtig genoeg zijn, het ellendige ervan is dat je je zo machteloos voelt. Met zijn allen zijn wij in een afschuwelijk netelig parket verzeild geraakt, dát staat als een paal boven water," besloot Wout met een loodzware zucht.

Het deed Koen meer dan hij zou kunnen verwoorden

dat deze mensen gebukt gingen onder de last van veel te veel zorgen.

Het plaagde hem verschrikkelijk dat hij zijn aandeel daarin had. Hoe mooi zou het zijn als je alles wat verkeerd was gegaan, ongedaan zou kunnen maken. Wat een ongekende rust zou het hem geven als hij zich weer als vanouds tot God zou durven keren. Vragen om vergeving, maar ook om Zijn hulp. Daarbuiten redde een mens het niet, dat wist hij uit ervaring.

Zo liet Koen in stilte zijn gedachten gaan. Wout daarentegen, vergat te bedenken wat hij nog maar kort geleden had beweerd. Dat een mens nog geen vijf minuten van tevoren kon voorspellen wat er op zijn pad kwam. Aan goed of kwaad. Binnenkort zou hij er echter toe gedwongen worden om er wel bij stil te staan. En dan zou hij een diepe zucht van opluchting slaken. Vooralsnog golden echter ook voor Wout die bewuste vijf minuten.

Er waren tien dagen verstreken, dagen vol angst en onzekerheid. Hoewel er tot dusverre niets was gebeurd, bleven ze er elk voor zich rekening mee houden dat de alarmbel elk moment weer kon overgaan.

Het goede in deze dagen was dat Marjet zich weer goed voelde. Ze was nog wel snel moe, maar dat verzweeg ze voor de mensen om haar heen. Ze had zich jegens Louwina de hele tijd bezwaard gevoeld, nu wilde ze haar weer zo veel mogelijk helpen. Marjet was niet de enige die met haar te doen had, Wout maakte zich ook zorgen om de jonge vrouw. Na de afschuwelijke ervaring in het park durfde Louwina Karel niet meer uit te laten. De angst voor wat er gebeuren kon, zat bij haar zo diep dat ze haar kleine dochter geen minuut meer uit het oog verloor. Ze durfde er niet meer alleen met haar uit te gaan voor een boodschap of gewoon een eindje met haar te gaan wandelen. En ze nam haar alleen mee de tuin in of naar achteren, als ze zeker wist dat Wout daar was of

Jelmer Douma. Het was een onhoudbare toestand, niettemin deed elk voor zich zijn of haar best een ander niet extra te belasten met eigen zorgen.

Koen was vanzelfsprekend nog dikwijls onderwerp van gesprek, het deed hun allemaal goed te weten dat hij bij Bart en Klaartje in goede handen was. Een baan had hij zo snel nog niet kunnen vinden, in afwachting daarvan deed hij niet anders dan zich uitsloven voor Bart. Ook voor Klaartje trouwens, want naast de tuin en andere klusjes had hij ook haar plaats in het kantoortje van Barts bedrijf overgenomen. Toch kon die stoel voor Koen geen vaste aanstelling worden, want dan zou Bart hem een maandsalaris moeten uitbetalen en dat kon Bruin nou net niet trekken. Koen had Wouts advies van toentertijd ter harte genomen. Hij liet zich zo weinig mogelijk zien, was de deur nog niet weer uit geweest. Enerzijds noemden ze het zeer verstandig, anderzijds prezen ze hem erom. Het betekende immers dat hij nog niet weer had gegokt en dat was een gegeven dat vooral Koen zelf, maar ook Bart en Klaartje goede hoop verstrekte.

Wout en Marjet kampten met nog andere problemen. Hun zorg ging namelijk niet alleen uit naar Louwina, ze hadden ook met Jelmer en Annelies Douma te doen. Die mensen wisten dat hun zoon op het slechte pad was, echter niet dat hij contacten onderhield met Anton Schuitema. „Dat kan ik Jelmer niet vertellen," had Wout onlangs verzucht, „want dan gaat er een balletje rollen dat wij, hoe dan ook, juist tegen moeten zien te houden." Hij bedoelde ermee dat zowel Jelmer en Annelies als de dorpelingen niet mochten weten dat ene Anton Schuitema mensen in zijn macht had die vanwege geldnood bereid waren terreurdaden voor hem uit te voeren. Een van hen was Clemens, en in alle stilte worstelde Wout met de vraag of het niet zijn plicht was om dát in ieder geval wel tegen Jelmer te zeggen. Hij kwam er niet uit, kon geen besluit nemen en zo verging het hem ook met de brandende vraag, wat hij aan moest vangen met Anton. Net als Klaartje niet wilde dat Bart zich in de kwestie stortte, zo had Marjet hem verboden om dat bewuste huis in de stad op te zoeken en daar te gaan wachten tot Anton zou verschijnen. „Je doet het niet, hoor Wout!" had Marjet met een van angst vertrokken gezicht gefluisterd. „Voor je het weet heb je of een kogel, of een mes in je borst. Laten we nou maar eerst gewoon afwachten, zodra die engerd weer toeslaat, waarschuwen we de politie. En dat meen ik echt, als jij het niet doet, doe ik het!"

Wout moest er niet aan denken dat hij door politiemensen zou worden ondervraagd. Hij was nog niet vergeten hoe dat in zijn werk ging en waar het op uit kon draaien. Hij kon dan ook alleen maar hopen dat Anton zich rustig hield en dat Clemens, net als Koen, op een keer vanuit zichzelf het rechte pad weer zou willen bewandelen.

Soms blijkt hoop jammer genoeg ijdel te zijn, want die middag, toen Jelmer zijn busdiensten er op had zitten en hij, plichtsgetrouw als hij was, naar Wout kwam om hem te helpen, zag Wout in één oogopslag dat Jelmer zich niet happy voelde. Zijn gezicht stond vertrokken, zijn hele houding drukte wanhoop uit. Wout taxeerde hem van opzij, dan legde hij een hand op Jelmers schouder. „Jij voelt je lang niet goed, je lijkt wel ziek, man!"

Jelmer knikte dof. „Ik heb me nog nooit eerder zo beroerd gevoeld. Dat je bloedeigen zoon je zo verschrikkelijk veel leed kan berokkenen zou onmogelijk moeten zijn. Dat is het echter niet..." De man zweeg, hij bedekte met een hand zijn ogen, en aan het schokken van zijn schouders zag Wout dat hij huilde. Wouts gemoed schoot vol. „Wat is er gebeurd, Jelmer, als ik kan helpen moet je het zeggen, hoor!"

„Niemand kan ons helpen, het is te laat... Dat, wat in onze onnozelheid niet eens bij Annelies en mij op kon komen, is toch gebeurd..."

„Wil je het zeggen, erover praten met mij?"

„Nee, ik kan het niet over mijn lippen krijgen. Wij zijn gisteravond door de politie op de hoogte gesteld. De pers heeft zich er al op gestort, vanavond zal iedereen het in de krant kunnen lezen. Dat schokkende nieuws dat ons kapotmaakt..."

Wout voelde zich hopeloos verlegen met de situatie. Jelmer wilde niets loslaten, hij weigerde aangeboden hulp, wat moet ik er dan mee, vroeg Wout zich af. Het enige wat hem te binnen schoot was: „Zou je niet liever naar je vrouw gaan, je hoofd staat nu toch waarachtig niet naar werk dat bovendien wel blijft liggen?"

Jelmer knikte, hij wreef nog eens tersluiks langs zijn ogen. „Je hebt gelijk. Maar ja, het was afgesproken dat ik zou komen en daar kwam bij dat ik dacht dat een beetje afleiding niet verkeerd voor me zou zijn. Thuis zitten Annelies en ik elkaar maar wat in de weg. Het klinkt misschien raar, maar we kunnen elkaar nu niet troosten. Er zijn tussen ons opeens geen woorden meer, we kunnen alleen maar huilen..."

„Ach, kerel toch, is het zo erg?" vroeg Wout aangeslagen. Het antwoord van de ander was kort. „Let maar op de krant." Daarna schokschouderde hij. „Dan ga ik maar weer. Sorry..."

Jelmer maakte zich gehaast uit de voeten, Wout keek hem na en vond dat de man er plotseling jaren ouder uitzag. Wat is er in vredesnaam aan de hand, vroeg Wout zich af, wat heeft Clemens dan nu weer uitgespookt? In zijn eentje, zonder Antons inbreng, of juist in opdracht van hem?

Wout kreeg geen antwoord op de vragen die hem bestormden, hij ging naar binnen en vertelde aan Marjet en Louwina hoe hij Jelmer zo-even had aangetroffen. Vanzelfsprekend hadden ook zij met de man te doen en net als Wout keken ze vol ongeduld uit naar de jongen die dagelijks de krant bezorgde. Ze vonden alle drie dat het net leek alsof hij juist vandaag uren later kwam dan normaal, maar dat kwam louter vanwege hun ongeduld.

Daar had ene Appie zonder achternaam geen last van. Voor dat de mensen het in de krant konden lezen, was hij al op de hoogte gesteld van wat er was gebeurd. Hij noemde het voor zichzelf desastreus en met zijn grote handen in woede tot vuisten gebald, stuurde hij een reeks verwensingen naar degene die hij een onvoorstelbare klungel in het vak noemde. Het was jammer dat hij er te laat achter gekomen was dat zo'n zenuwpees een klus die erop aankwam, niet aankon. Door louter zenuwen had dat stomme rund alles verpest en kon hij, Appie, fluiten naar het vele geld dat hem al had toegelachen.

De ongekende woede tekende zich af op zijn gezicht.

In tegenstelling tot hem lazen Wout, Marjet en Louwina met ontstelde gezichten het nieuws. Het verhaal dat de betreffende journalist uit zijn pen had laten vloeien, bevatte niets dan de waarheid, het had ontegenzeglijk echter ook een wat smeuig karakter. De kop boven het verhaal luidde:

Twee Nederlandse mannen in Turkije gearresteerd wegens drugssmokkel.

Een pikant gegeven is dat de oudste van de twee, Anton S., zich had vermomd als een dame op leeftijd. 'Ze' was een opvallende forse vrouw, haar rondingen waren meer dan mollig. Ze liep moeizaam achter een rollator, en haar reisgenoot, de zevenentwintigjarige Clemens D., deed zich voor als 'haar' verzorger. Bij de douane vielen ze door de mand, doordat de vrouw, diep voorovergebogen, waarschijnlijk te zwaar op de rollator leunde. Het ding kieperde in ieder geval om, 'de dikke dame' kon haar evenwicht niet bewaren en ging door de knieën. En op dat moment verschoof de grijze pruik van de namaakvrouw niet alleen, maar gleed in het geheel van haar hoofd. En toen kwam niet enkel de pruik op de grond terecht, maar ook een pakketje dat ze eronder verstopt had en dat cocaïne bevatte. Bij nader onderzoek kwam aan het licht dat de cups van de grote bh die de man had gedragen, eveneens vol drugs zaten, evenals de holtes van de schuimrubberen namaakbillen. Nadat al die hulpstukken verwijderd waren kwam er een man te voorschijn met een normaal, plat mannenpostuur die, gezien de angst op zijn gezicht, al wist dat hij niets meer in de melk te brokkelen had. Volgens de woordvoerder van de politie ter plaatse had de partij onderschepte drugs een geschatte straatwaarde van om en nabij een miljoen euro. Zowel Anton S., als Clemens D., mogen rekenen op een celstraf van minstens een jaar of tien.

Een ogenblik staarden ze elkaar verbijsterd aan, Louwina opende als eerste haar mond. Ze had echter niet in de gaten dat ze hardop in zichzelf praatte toen ze dat, wat Anton eens vals grinnikend over Marjet had gezegd, herhaalde. „Iedereen krijgt dat, wat hij verdiend heeft. Nu ben jij dan zelf aan de beurt en ik heb niet met je te doen." Ze sloeg haar ogen beurtelings op van Marjet naar Wout en vol ontzetting fluisterde ze: „Ik sta op mijn benen te trillen..."

Marjet was er niet beter aan toe en ook Wout bekende dat hij het even moest verwerken. Al wat ze verwacht hadden, dit zeker niet. Ze zagen er alle drie uit zoals ze zich voelden. Dat ontging Marieke, en de beide jongens echter niet. Gijs peilde onderzoekend hun gezichten, Jorden informeerde: „Staat er soms iets vies in de krant waar jullie misselijk van worden, want zo kijken jullie?"

Zo zou je het inderdaad kunnen noemen, dacht Wout, en tegen de jongens zei hij: „Jullie weten dat Louwina hier op het dorp indertijd een poosje heeft samengewoond met een man die Anton Schuitema heette. Nu lezen wij in de krant dat hij in Turkije gearresteerd is wegens het smokkelen van drugs. Daar schrikken wij van, vooral omdat niet alleen hij gesnapt is, maar ook Clemens Douma. Onze gedachten gaan uit naar zijn ouders."

„Ja, dat is best wel heel erg," vond Jorden, Gijs ging er iets dieper op in. „Ik snap niet hoe mensen het in hun hoofd halen om drugs te gebruiken, laat staan te smokkelen. Dat is wel zo verschrikkelijk gemeen, want degene die dat doet weet dat misschien wel heel jonge mensen het spul gaan kopen en gebruiken. De gevolgen daarvan hebben de smokkelaars op hun geweten. Ik druk me nou misschien wat dommig uit, maar dat komt doordat ik me er nog niet eerder serieus mee heb beziggehouden. Ik moet erover nadenken voordat ik er echt iets zinnigs over kan zeggen. Ik denk dat ik naar mijn kamer ga om me erin te verdiepen."

„We kunnen beter een poosje gaan computeren," oordeelde Jorden nuchter, „want met drugs moet je je juist niet bezighouden." Gijs schokschouderde ietwat verlegen, hij nam de raad van zijn broer echter aan en even hierna zaten ze, als zo vaak, gebroederlijk achter de computer een spel te spelen.

In de huiskamer verzuchtte Louwina: „Ik kan het nog met geen mogelijkheid bevatten dat ik opeens niet meer bang hoef te zijn. Welbeschouwd zou er een zware last van mijn schouders moeten glijden, maar zo voelt het nog niet. Ik vermoed dat dat voornamelijk komt doordat de naam Clemens zo nadrukkelijk door mijn hoofd spookt. Met Anton kan ik geen medelijden hebben, vanwege zijn wandaden heeft hij hier gewoon zelf om gevraagd. Met Clemens ligt het voor mijn gevoel anders. Ik ben bang dat hij onder druk gezet is door Anton, gedwongen werd mee te doen. Arme Clemens, en hoe beroerd moeten zijn ouders zich nu voelen."

Wout knikte beamend en zei aangeslagen: „Nu begrijp ik pas hoe ellendig Jelmer zich vanmiddag voelde. Wat er nu omgaat in hem en zijn vrouw, is met geen pen te beschrijven. We hoeven elkaar niets wijs te maken, we lezen allemaal kranten en ook op de televisie worden de dingen uit de doeken gedaan. Van horen zeggen weten we hoe het in de gevangenissen in dat soort landen gaat. Kleine, overvolle smerige cellen, strenge, meedogenloze wetten en noem maar op! Daar zit Clemens nu tussen... ik zie hem zitten, 'k voel wat hij voelt."

Wout kreeg het zichtbaar te kwaad, Marjet kende hem, zij wist wat hem nu bezighield, welke beelden er voor zijn geestesoog verschenen. En even zacht als veelzeggend herinnerde zij hem: „Jij werd volstrekt onschuldig opgesloten, lieverd, vergeet dat nou niet...!"

„Ik weet het, meisje van me, ik weet het allemaal wel." Hij zond haar een liefdevolle blik en praatte verder. „Ik kan mijn gedachten niet stilzetten, die gaan als onbestuurbaar nu toch die kant op. Vergeleken bij Clemens had ik voorrechten die hem worden ontzegd. Ik hoefde mijn cel niet te delen met een horde kerels, bovendien kreeg ik bezoek van jou en anderen. Desondanks weet ik bij ondervinding wat het zeggen wil als een mens achter de tralies belandt. Dan voelt hij zich een gekooid dier met alle paniek en radeloosheid van dien."

Marjet schonk hem een begripvolle blik, Louwina vroeg aan Wout: „Het valt me op dat jij alleen Clemens' naam bewogen uitspreekt, heb jij net als ik niet met Anton te doen?"

Wout aarzelde een moment. „Laat ik vooropstellen dat ik geen goed mens gun wat ik destijds heb moeten meemaken. Ik denk dat ik het zo goed formuleer, ik bedoel er in ieder geval mee te zeggen dat Anton Schuitema in mijn ogen geen goed mens is. Nee, met die man heb ik niet te doen. Hij heeft eerst jou, daarna ons allen, een tijdlang in zijn greep gehad. Nadat ik het krantenartikel had gelezen heb ik stil een diepe zucht van opluchting geslaakt. Die beslist niet gold voor Clemens. Het is meer dan triest dat zo'n jonge vent zijn leven zo heeft geruïneerd. Jelmer en Annelies zullen zich geen raad weten, ik vraag me af of ik niet naar hen toe moet gaan.

Want zoals je een mens die rouwt om een dierbare de hand drukt, zo zullen zij nu toch ook een blijk van meeleven nodig hebben?"

Marjet taxeerde zijn gezicht. „Wat ben je van plan, Wout? Wil je alsnog aan Jelmer vertellen wat Anton ons de laatste tijd heeft aangedaan?"

Die vraag deed Wout beslist van nee schudden. „Vooral met het oog op onze kinderen moeten wij voorkomen dat dat dorpsnieuws gaat worden. Daar zijn wij mee gebaat, in het andere geval schieten Jelmer en Annelies er niets mee op als ze het wel zouden weten. Het gevaar is voor ons geweken, wij kunnen weer opgelucht ademhalen, zo vergaat het Jelmer en Annelies echter niet. En dat je dan zo machteloos moet toezien terwijl je die arme drommels van alle kanten zou willen helpen, dat zit me behoorlijk dwars!"

Marjet was het niet alleen met hem eens, ze keek even bezorgd als Wout. Louwina echter stuurde hun allebei een veelzeggende blik die ze met woorden onderstreepte. „Een ander willen helpen, dat zit jullie als het ware in het bloed. En dat komt louter en alleen omdat jullie in het verleden zelf zoveel hebben moeten meemaken. Daardoor zijn jullie geworden zo je nu bent; misschien wel een beetje te goed voor deze wereld?"

Wout hield niet van complimentjes krijgen. Hij keek Louwina dan ook misprijzend aan en zei vol overtuiging: „Wij zijn slechts dood- en doodgewone stervelingen! Met bepaalde deugden misschien, maar ook zeer zeker met tekortkomingen. Anders zouden wij immers geen mens, maar een heilige zijn. Nou, geloof van mij dat die niet op aarde rondlopen!"

„Daar heb jij volkomen gelijk in." Louwina kon niet nalaten te herhalen wat ze waarschijnlijk al te vaak had gezegd.

„Toch prijs ik me gelukkig dat ik jullie mocht tegenkomen. En dat ik voorlopig geen angst meer hoef te hebben voor Anton, daar heb ik God al stilletjes een paar keer voor bedankt." Zoals altijd wanneer ze Gods naam noemde, bloosde ze ook nu weer.

De anderen wisten dat Louwina wat dat betrof nog een beetje onzeker was. Wout zond haar een bemoedigende blik en welgemeend warm zei hij: „We houden van je. Juist omdat jij bent die je bent!"

8

Het was inmiddels alweer een jaar geleden dat het schokkende nieuws over de arrestatie het dorp had bereikt. Het grootste nieuws was er een beetje afgesleten, dat wilde echter niet zeggen dat men niet meer te doen had met Jelmer en Annelies Douma. Over de man achter de naam Anton Schuitema sprak men misprijzend. „Hij heeft indertijd een poosje bij ons op het dorp gewoond, maar toen al was hij een rare snuiter die er van geen kanten bij hoorde. Hij was een vreemde snijboon die zichzelf uiteindelijk de das heeft omgedaan. Boontje komt om zijn loontje: zo is het wel!"

Heel anders sprak men over Clemens, men oordeelde dat hij verkeerde vrienden had gehad. Vanwege zijn slap karakter had hij zich mee laten sleuren naar een afgrijselijke diepe afgrond. Nu zat hij in een ver, vreemd land opgesloten en zou hij moeten ervaren dat spijt altijd te laat komt. Zou zo'n jongen, vroegen velen zich af, aan zijn ouders denken? Aan zijn moeder vooral die, hoewel er een vol jaar overheen was gegaan, nog steeds niet weer leek op de flinke vrouw die ze eens was? Het was algemeen bekend dat Annelies het nog steeds niet kon stellen zonder doktershulp en dat ze kalmeringsmiddelen nodig had om op de been te kunnen blijven. Arme vrouw. Als je op de buitenkant van een mens mocht afgaan, leek het alsof Jelmer de situatie beter in de hand had. Misschien was hij geestelijk sterker dan zijn vrouw, het kon natuurlijk ook zijn dat hij de schijn op wilde houden, oordeelde men. Als hij op straat werd aangesproken met de vraag hoe het met hem ging, placht hij te zeggen: „Het leven gaat verder, wij hebben geen keus. Voor mijn eigen zielenrust is het beter niet te vaak achterom te kijken. Ik wil de weg die voor me ligt betreden, als het kan graag weer zo gewoon mogelijk."

Het waren dapper uitgesproken woorden, maar mensen die hem beter kenden, zoals Wout en Marjet, wisten maar al te goed dat Jelmer te doen had met zijn vrouw wier lijden voor hem verschrikkelijk was om aan te zien. Dit wenste hij niet aan de grote klok te hangen en zo was er meer waaruit bleek dat Jelmer Douma een man was die belang hechtte aan eigenwaarde. Met die doelstelling was hij destijds, vrij kort na de arrestatie van zijn zoon, bij Wout gekomen met de boodschap dat hij Wout niet langer kwam helpen. Vanzelfsprekend had Wout zich verbaasd getoond en had hij het waarom ervan willen weten. Jelmer had hem recht aangezien en gezegd: „In de tijd toen Clemens meer geld nodig had dan ik van mijn maandloon kon missen, kwam het mij bijzonder goed van pas dat ik hier een centje kon bijverdienen. Maar ik ben niet gek, ik heb de hele tijd geweten dat jij niet dringend om mijn hulp zat te springen. Behalve in uitzonderingsgevallen als een vakantie of toen Marjet ziek was, kun jij je hier in je eentje best redden. Sinds Clemens geen aanslag meer pleegt op mijn beurs, kun jij wel nagaan wat dat voor ons inhoudt. Maar in plaats van dat jij nu gewoon tegen me zegt dat je me niet meer nodig hebt, hou jij ons de hand boven het hoofd. Dat goede in jou waardeer ik, begrijp me niet verkeerd, het is alleen zo dat ik een gloeiende hekel heb aan welke vorm van bedeling dan ook. Als jij in de toekomst eens met je handen in het haar mocht komen te zitten, zal ik er wat graag weer voor je zijn. Maar dan betreft het een vriendendienst waar géén getrokken beurs aan te pas komt!"

Dat het Jelmer ernst was bleek in de tijd die daarop volgde. Hij kwam regelmatig naar de dieren kijken waar hij aan gehecht was geraakt, maar dan droeg hij geen laarzen, geen stofjas, maar nette kleren en gepoetste schoenen. Het was een nadrukkelijk uiterlijk vertoon dat verdere woorden overbodig maakte. Wout was er niet gelukkig mee, maar hij stond er machteloos tegenover. Het enige wat hij kon doen was Louwina's voorbeeld volgen. Zij bracht Annelies overdag regelmatig een bezoekje, Wout meestal 's avonds. En altijd weer, dat kon gewoon niet uitblijven, werd Clemens onderwerp van gesprek. Zoals Annelies de brieven van haar zoon aan Louwina liet lezen, zo werden die ook voor Wout opengevouwen. Het waren treurige epistels, ze stonden vol spijtbetuigingen waar Wout een brok van in de keel kreeg en waar Annelies elke keer opnieuw bij zat te huilen. Het schuldgevoel van haar en Jelmer leek niet te willen afnemen, eerder te groeien. Jelmer had een keer, donker voor zich uit kijkend, gemompeld: „Ergens heb ik als vader gefaald, dat kan toch niet anders?" Annelies had met een van tranen verstikte stem eveneens een hand in eigen boezem gestoken. „We hadden moeten doen wat anderen ons steeds adviseerden. Als wij hem de deur hadden gewezen zodat hij aan zijn lot was overgelaten, was hij heel misschien tot inkeer gekomen. Omdat we van hem hielden, niet wreed tegen hem kónden zijn, gaven wij hem keer op keer toch weer geld. We bedoelden het alleen maar goed, maar nu het te laat is realiseren wij ons dat onze manier van optreden zijn verslaving mogelijk in de hand kan hebben gewerkt. We hadden hem, desnoods gedwongen, moeten laten opnemen. Clemens wilde niet geholpen worden en wij lieten het erbij zitten. We dragen als ouders veel schuld, de last ervan wordt almaar zwaarder. In ellenlange brieven beschrijf ik voor Clemens onze gevoelens jegens hem, ik zou echter zo heel graag persoonlijk tegen hem willen zeggen dat wij, net als hij, spijt hebben van veel. Ik zou zijn gezicht in mijn handen willen nemen en in zijn lieve ogen zeggen dat ik zielsveel van hem hou. Kon ik hem maar één keer zien en aanraken. Eén keertje maar, dat is toch niet te veel gevraagd...?"

Annelies was in een wanhopige huilbui uitgebarsten, Jelmer had een arm om haar heen gelegd. En terwijl hij zijn vrouw troostte, vergat Jelmer, helemaal begaan met haar, dat Wout erbij zat. Want anders zou hij nooit ofte nimmer het geheim tussen hem en zijn vrouw hardop hebben uitgesproken. „Stil maar, je weet toch wat we afgesproken hebben? Dankzij Clemens staan we hopeloos in het rood bij de bank, maar zodra we die schuld hebben afgelost gaan we sparen. Voor een reis naar Turkije, dan gaan we naar onze jongen. Wij samen..." Jelmer had zijn zakdoek niet gepakt om alleen de tranen van zijn vrouw ermee te drogen, in een aalvlugge beweging wiste hij ook langs zijn eigen ogen. Vervolgens had hij die naar Wout opgeslagen en sorry gezegd. Op dat voor hem aangrijpende moment had Wout gehoopt dat het niet tot Jelmer doordrong of doordringen zou, wat hij daarnet tegen Annelies had gezegd. Op Jelmers verontschuldigende sorry voor zijn tranen, had Wout hem een bemoedigende blik toegezonden. „Het doet mij deugd te zien dat jullie elkaar weer kunnen vinden in je verdriet, dat je elkaar nu wel kunt troosten."

Hij was met het trieste verhaal thuisgekomen en toen hij het aan Marjet en Louwina vertelde hadden de beide vrouwen hun ogen niet droog kunnen houden.

Al met al was het geen gemakkelijk jaar geweest dat ze achter de rug hadden, er waren echter niet enkel zorgen en verdriet geweest, maar ook heuglijke feiten die een blijde lach op hun gezichten hadden gelegd. Het belangrijkste, het echt gelukkig makende nieuws dat ze te horen kregen, was op een dag toen Marjet weer voor controle naar het ziekenhuis had gemoeten en ze een felicitatie in ontvangst had mogen nemen. Ze was genezen verklaard, ze hoefde alleen nog maar eens per jaar voor controle langs te komen. Ze hadden er een feestdag van gemaakt. Ze hadden gelachen en gehuild van vreugde, de dag had echter vooral bol gestaan van dankbaarheid. Hoewel het in ieders achterhoofd aanwezig was geweest, hadden ze niet stil willen staan bij een tijdsbestek van vijf jaar. Elk voor zich wist dat je dan pas werkelijk kon spreken van genezing, maar op die dag hadden ze dat bewust over het hoofd gezien. Ze waren allemaal blij geweest voor Marjet, Bart en Klaartje waren gekomen met bloemen die naast die van Louwina hadden staan te fleuren en te geuren. Wouts zus Maureen had gebeld. „Ik stuur geen bloemen, maar bij dezen een uitnodiging! We zijn alle drie zo dankbaar en blij, Claudia en Wiebe lopen ook rond met stralende gezichten. We hebben het nu even nergens anders over en zo vatten wij het plan op om jullie uit te nodigen voor het aanstaande weekend. We verwachten jullie vrijdagavond en houden je vast tot zondag in de namiddag. Dan hebben we heerlijk de tijd om bij te praten en van elkaar te genieten! Ik hoef er niet bij te zeggen dat we Louwina en Carmen ook verwachten, want zonder die twee zouden wij als familie en vrienden niet compleet zijn."

Voordat Marjet de uitnodiging aannam had ze aan Maureen gevraagd of zij wist waar ze aan begon. „Je krijgt in een klap zeven mensen te logeren, is dat niet wat te veel van het goede?" Maureen had haar bezwaren lachend weggewuifd. „Mijn huis is groot genoeg en ik sta er niet alleen voor! Claudia zal me helpen waar ze kan en Wiebe is niet voor niets kok! Hij heeft al gezegd dat hij zowel zaterdag als zondag zal zorgen voor feestelijk gedekte tafels boordevol heerlijke gerechten. Jullie zijn meer dan welkom, we zijn zo blij met dit goede nieuws voor jou, Marjet!"

Zo waren ze er een heerlijk lang weekend tussenuit geweest, nu liepen ze allang weer in de gewone tredmolen van alledag. Hoewel gewoon? Marjet betrapte zich er nog vaak op dat zij met de pruik in haar handen stond die ze eens had moeten dragen, maar die ze nu niet meer nodig had. En als ze dan over haar eigen haar streek dat weer was aangegroeid en van gezondheid glansde als vroeger, kon zij dat niet als gewoon beschouwen. Ze vond het een wonder dat zij van haar kanker was genezen, en in haar vele dankgebeden drupte er menigmaal een traan uit haar ogen. Ze wist dat zij niet de enige was die smekend vroeg of het over vijf jaar nog net zo goed met haar mocht gaan als nu, maar dat al haar dierbaren dit voor haar vroegen. Kanker was een akelige, verraderlijke ziekte, vijf jaar een lange tijd... De onzekerheid speelde mee op de achtergrond, ze liet zich er echter niet door ontmoedigen. Vanwege haar ziekte had haar leven eventjes aan een zijden draadje gehangen, vooral in het begin was ze bang geweest dat ze dood zou gaan. Moeten sterven terwijl Wout haar niet missen kon, de kinderen haar nog zo nodig hadden. Die angst had haar er niet onder gekregen, er juist voor gezorgd dat ze strijdlustiger werd dan ooit. Ze had gevochten tegen iets onzichtbaars in haar lichaam en met Gods hulp had ze gewonnen! Achteraf bezien vond ze dat ze gesterkt uit de strijd te voorschijn was gekomen, veel beter dan vroeger kon ze de dingen nu relativeren. Ze maakte zich niet meer druk om onbenullige kleinigheden, ze kon intens genieten van iets wat voor een medemens van wezenlijk belang was. Hierbij dacht Marjet aan Koen de Roos en zij was zeker niet de enige die blij was met de vooruitgang die Koen had geboekt.

Vanaf het allereerste begin toen Bart en Klaartje zich over hem hadden ontfermd, had Koen weerstand kunnen bieden aan zijn verslaving. Zoals een straffe roker in één keer zegt dat hij ermee stopt en dat dan ook volhoudt, zo had Koen van de een op de andere dag niet meer gegokt. Als men hem erom prees, wees hij naar Clemens Douma. „Hij is voor mij een lichtend voorbeeld van hoe het niet moet, maar hoe het je vergaan kan als je niet vroegtijdig tot bezinning komt. Dan zak je almaar dieper weg totdat het werkelijk te laat is. Het grote verschil tussen Clemens en mij is dat hij tot het laatste toe met Anton bleef omgaan en dat ik jullie mocht ontmoeten toen het voor mij vijf voor twaalf was. Denk maar niet dat ik dat ooit zal vergeten!"

Bart en Klaartje wilden van dank niets weten, toch had Clemens geen ongelijk. Want zij hádden een zwerver van de straat geplukt – wat niet iedereen hen nadoet – naast de nodige bescherming hadden ze aan Clemens medemenselijkheid getoond. En nu, een jaar later, durfden ze te veronderstellen dat die factoren voor hem het juiste medicijn waren geweest. Hij keek nu vol afkeer terug op het leven dat hij eens had geleid en met gepaste trots had hij onlangs gezegd: „Ik voel me weer zoals het hoort; een mens. Ik mag weer meetellen in de maatschappij. Je moet eerst in de goot hebben gelegen voordat je dat overweldigend goede gevoel op zijn waarde kunt schatten. Dat ik weer mocht opstaan en mijn rug rechten... Hoe de dankbaarheid daarvoor precies aanvoelt kan ik alleen aan God zeggen."

Koen had zijn best gedaan, de moeite, het strijden tegen zijn verslaving, werd beloond. Nog maar drie maanden nadat hij destijds door Bart en Klaartje was opgevangen, had hij een kantoorbaan gevonden bij een verzekeringsmaatschappij. Ze waren blij geweest voor Koen, en Wout had gezegd: „Zo zie je maar weer hoe belangrijk het is om op een cruciaal moment de juiste man te treffen!" Met die uitspraak had Wout verwezen naar het sollicitatiegesprek van Koen met de man die zijn nieuwe baas zou worden, Bram Roggeveld. Vanwege zijn verleden had Koen geen schriftelijk bewijs van goedkeuring van zijn vorige werkgever kunnen tonen, en van tevoren had hij besloten dat hij dan maar beter open en eerlijk met de feiten op tafel kon komen. Zo had hij onopgesmukt verteld hoe hij van het rechte pad was afgedwaald, wat hij had gedaan, hoe ver hij was gegaan. Met een goudeerlijke oogopslag had hij te kennen gegeven dat hij dolgraag weer een baan wilde. Aan die bekentenis had hij toegevoegd: „Maar ja... ik begrijp wel dat ik weinig kans meer maak nu u weet wie er voor u zit..."

Daarop had Bram Roggeveld bedachtzaam gezegd: „Als ik niet met een hand over het hart zou strijken, zou jij kansloos blijven. Om de een of andere voor mij nog onverklaarbare reden, stuit mij dat tegen de borst. Daarom wil ik jou een kans geven, het met je proberen. Maar knoop goed in je oren dat ik geen pardon ken als ik ook maar één verkeerde stap van jou ontdek!"

Koen had ervoor gezorgd dat dat niet gebeurde en zo had hij ook op andere manieren laten zien dat hij zichzelf niet alleen weer helemaal in de hand had, maar bovendien de beschikking had over voldoende wilskracht. Toen hij bij Bart en Klaartje in huis kwam had hij een enorme schuld en nu, een jaar later, had hij die helemaal afgelost. Mede dankzij zijn weldoeners, want van kostgeld hadden Bart en Klaartje de hele tijd niets willen weten. Om toch maar zo veel mogelijk van zijn salaris over te houden, had Koen zo zuinig mogelijk geleefd. Hij had het hele jaar geen stukje kleren gekocht, aan bijvoorbeeld een avondje stappen had hij niet willen denken. Dat kostte alleen maar geld, dat hij liever voor andere doeleinden gebruikte. Zo had hij op een haast vrekkige manier geleefd, hij had Bart en Klaartje echter gul op een etentje getrakteerd toen hij vrij van schulden was en hij voor het eerst geen groot gedeelte van zijn maandsalaris weg hoefde te brengen. Hij was terecht trots op zichzelf en tegen Bart en Klaartje had hij gezegd: „Van mezelf mag ik nu niet langer gebruik maken van jullie goedheid. Ik ga op zoek naar woonruimte, ergens in de stad zal toch wel een voor mij geschikt huis te huur staan? Ik kan het betalen en heb er zin in!"

Daar had iedereen begrip voor, Bart en Klaartje verzwegen wijselijk dat het voor hen zoetjesaan ook welletjes was. Hoewel ze er geen spijt van hadden dat ze Koen in huis hadden genomen, hadden ze in het achter hen liggende jaar toch ook weleens uitgezien naar de tijd dat ze weer gewoon met hun drietjes zouden zijn. Nu die tijd dan eindelijk was aangebroken, dwarsboomden zij Koens plannen niet. Een tijd geleden alweer had Bart verrast gereageerd op een advertentie in de krant waarin een huisje te koop werd aangeboden. De prijs had erbij gestaan en die had Bart doen zeggen: „Dit lijkt me nou net iets voor jou, Koen! Je zult er een hypotheek voor moeten afsluiten. Maar gezien de vraagprijs van het huis, zullen de maandelijkse kosten zo laag uitvallen dat je zelfs voordeliger kunt kopen dan huren!"

Een hypotheek afsluiten. Eén moment had Koen bezwaarlijk geopperd dat hij dan opnieuw een schuld zou hebben. Algauw had hij echter ingezien dat die niet te vergelijken was met zijn vroegere schulden. Mede door het enthousiasme van Bart en Klaartje was Koen er meer en meer voor gaan voelen. De volgende dag hadden ze al een afspraak gemaakt met de betreffende makelaar, en weer een dag later werd de koop gesloten. Toen mocht Koen zich de eigenaar noemen van misschien wel het kleinste huisje van de stad Groningen. Het stond in een smal steegje, weggedrukt tussen een groter huis en een pakhuis. Het was slechts bewoonbaar voor één persoon, de ruimte bestond uit een kamer waar een eethoek in paste en een gemakkelijke stoel, daarmee was het vertrek geheel gevuld. Er was een piepklein keukentje waarin ook de douche was afgetimmerd. In een hoek van de eveneens kleine zolder, was ruimte voor een bed met een stoel ervoor en kon hij bepaalde dingen opslaan waar beneden geen plaats voor was. Het was zeker geen villa, geen droomhuis, Koen was er echter mee in de wolken. Het bezit van een eigen huis, hoe pietepeuterig klein dan ook, deed hem met een betekenisvolle glimlach terugkijken op het verleden.

Louwina had hem geholpen met het schoonmaken van het huisje, en de inrichting ervan bestond uit allegaartjes die bij anderen van de zolder waren gehaald. Wout en Marjet hadden gedacht aan de eethoektafel met bijpassende, rechte stoelen die op een van hun zolders terecht was gekomen. Het waren meubels die ooit, lang geleden, door oma Diny waren gebruikt toen zijzelf nog een gezin had gehad. Ze waren dan ook niet nieuw en niet mooi, maar na een grondige schoonmaakbeurt zagen ze er voor het oog nog wel netjes uit. Bart en Klaartje hadden Koen geholpen aan een bed met toebehoren en aan een gemakkelijke stoel. En met een klein, rond tafeltje dat er nog net naast kon staan, gaf die hoek het kamertje een knusse aanblik. Borden, schalen, pannen, bestek en ander keukengerei had Koen mogen weghalen bij Maureen, voor haar waren die spullen in het restaurant niet meer bruikbaar. Koen was er echter mee geholpen, hij toonde zich verheugd. „Jullie hebben me allemaal geweldig geholpen, de warmte ervan zal ik in mijn huisje om me heen voelen! Ik ben er onzegbaar gelukkig mee, het betekent voor mij niet meer omzien, maar een nieuwe start. In het afgelopen jaar heb ik ervaren dat je met zuinigheid veel kunt bereiken, ik denk dat ik voorlopig nog een poos op dezelfde voet verder ga. Dan kan ik me in de toekomst iets groters veroorloven en eigen spulletjes aanschaffen."

Daar was Bart lachend op ingegaan. „Ik merk dat jij verder kijkt dan je neus lang is en gelijk heb je! Want in dit kabouterhuisje is domweg geen plaats voor een vrouw, maar daar zul jij het geen leven lang zonder kunnen stellen!" In volle ernst had hij er achteraan gezegd: „We zijn trots op je, jij hebt in een tijdsbestek van een jaar meer gepresteerd dan aanvankelijk mogelijk leek. Wat nu nog mist in je leven is een lieve vrouw. Dat gunnen wij jou als geen ander!"

Koen had geschokschouderd. „Mijn baas, Bram Roggeveld, durfde het met mij aan, maar zo lopen er niet veel. Zeker geen vrouwen. Als ik al een leuke vrouw zou ontmoeten, dan zou ik ook aan haar moeten zeggen wat ik in het verleden heb uitgespookt. Nou, geloof maar van mij dat ze gillend bij me weg zou rennen. En geef d'r eens ongelijk." Koen had verborgen dat zijn gedachten op dat ogenblik naar Louwina waren gedwaald: ik hoef niet te zoeken, er is voor mij maar één vrouw met wie ik mijn verdere leven zou willen delen. Ze is een ware schoonheid, vanbinnen ziet ze er echter nog mooier uit dan aan de buitenkant. Hij vroeg zich dikwijls af of hij stilaan van haar was gaan houden, ze was zo veelvuldig in zijn gedachten? En denkend aan haar, werd hij dan vanbinnen warm en waande hij zich gelukkig. Met niets. Ze had het huisje voor hem schoongemaakt, de gekregen spullen had ze naar haar smaak een plaats gegeven. Daarom alleen al zou hij geen stoel, nog geen snuisterijtje willen verplaatsen. In die dagen waren ze veel samen geweest en hadden ze diepgaande gesprekken gevoerd. Over haar en zijn verleden. Op een keer had hij haar gepolst, voorzichtig gevraagd of zij geen man, of een vriend in haar leven miste. Louwina had lief naar hem gelachen zoals alleen zij dat kon. „Aan lieve vrienden heb ik gelukkig geen gebrek, na Anton ben ik echter een beetje huiverig voor de liefde geworden. Ik moet er toch echt niet aan denken om opnieuw vol vertrouwen op een man te leunen en na verloop van tijd te moeten ervaren dat ik weer bedrogen ben uitgekomen. En dat dat kan gebeuren, daar weet ik alles van! Ik durf gewoon niet meer op een voor het oog goed en eerlijk lijkend uiterlijk af te gaan. Niets is immers zo veranderlijk als een mens?"

Meer hoef je niet te zeggen, had Koen gedacht, en ik hoef jou niet meer te vragen of je mijn meisje wilt worden. Want wat jij daarnet zei sloeg regelrecht op mij. Je bent bang dat ik terug zal vallen in vroegere slechte gewoontes en daar griezel jij bij voorbaat van. Het doet gemeen zeer, mooi meisje, dat juist jij zo over me denkt. Er is nu geen warmte in me die me gelukkig maakt, maar een kille kou die verdriet oproept. Ja, ik heb verdriet om jou en dat kan maar één ding betekenen, namelijk dat ik van je hou...!

Het was een bekentenis aan zichzelf die Koen plotseling als een verrassing overviel, maar waar hij niet blij mee kon zijn.

Deze ochtend vond Annelies Douma iets waardoor zij niet alleen verrast werd, maar dat haar diep deed blozen. Ze moest naar adem happen voordat ze in zichzelf mompelde: „Wat zullen we dan nu beleven, wat is dit...!"

Even bleef ze er verdwaasd mee in haar handen staan, dan repte ze zich naar boven. En in haar opwinding van het moment vergat ze te bedenken dat Jelmer late dienst had gehad, dat hij uit moest slapen en dat zij hem met rust diende te laten. Daar dacht Annelies niet aan, in tegendeel, ze schudde Jelmer wakker en ze struikelde zowat over haar eigen tong toen ze rebbelde: „Jelmer, kijk eens wat ik heb! Toe, doe je ogen dan open, anders zie je immers niks!"

Nog slaapdronken viel hij oneerbiedig uit. „Mens, doe niet zo opgefokt, laat me liever met rust!" Hij had zijn ogen nu wel open en kwam overeind. „Wat is er dan, waarom doe je zo zenuwachtig?"

Annelies ging aan Jelmers kant op de rand van het bed zitten, ze voelde zich nog steeds hevig beduusd en dat was aan haar te horen. „Het is nauwelijks tien minuten geleden dat ik opstond en ik, om jou niet wakker te maken, naar beneden sloop. Ik zag hem meteen, de brief op de deurmat. Wat raar, schoot het door me heen, het is nog maar net acht uur geweest, zo vroeg is de post anders nooit? Ik maakte de envelop open en toen kwam dit eruit. Twee tickets naar Turkije en ook nog eens duizend euro! Bedoeld als zakgeld, neem ik aan. Wat staar je me nu schaapachtig aan, wil het nog niet tot je doordringen dat wij samen naar Clemens gaan? Ik kon het in eerste instantie ook niet geloven, maar het is echt waar, Jelmer!"

Hij was inmiddels naast haar gaan zitten, en in één oogopslag zag hij wat Annelies vanwege haar hoog oplopende emoties over het hoofd had gezien. „Het is niet door de post bezorgd, het is een blanco enveloppe, zonder postzegel, zelfs zonder adres. Dat betekent dat hij gisteravond laat of vanochtend in alle vroegte bij ons in de brievenbus is gestopt. Door een weldoener die ons wilde verrassen en zelf anoniem wenst te blijven." Jelmer keek zijn vrouw indringend aan. „Snap jij wat ik snap!?"

Heel langzaam knikte Annelies van ja en heel zacht fluisterde ze: „Wout en Marjet. Zoiets kunnen alleen zij verzinnen. Maar is het niet geweldig, Jelmer! We mogen naar Clemens, eindelijk, eindelijk zal ik mijn zoon zien en mogen aanraken. Hier heb ik de hele tijd naar verlangd, geen mens weet hoe vaak ik hier vurig om gebeden heb. God heeft mijn smeekbedes verhoord, ze doorgegeven aan Wout Speelman. O, Jelmer, ik kan het nog niet bevatten, alles in mij trilt..." Annelies liet haar tranen vloeien, Jelmer troostte haar deze keer niet. Vol van zijn eigen emoties zei hij ietwat narrig: „Ik voel me ook allesbehalve happy, laat dát een troost zijn voor jou. Het valt overigens nog te bezien, Annelies, of wij werkelijk naar Clemens gaan. Ik ben er voor honderd procent van overtuigd dat Wout en Marjet Speelman hierachter zitten. Zoals altijd bedoelen die mensen het goed, maar ik kan zo'n duur cadeau niet zonder meer aannemen. Het is mijn trots die me het verbiedt, daar kan ik niets aan doen."

Annelies staarde hem van opzij verbluft aan. Toen ze zag dat het Jelmer ernst was droogden haar tranen als vanzelf en viel zij op haar beurt kattig uit. „Denk erover zoals je wilt, als je maar weet dat ik deze unieke kans met beide handen vastgrijp! Wij staan bij de bank gelukkig niet meer in het rood, maar jij weet net zo goed als ik dat we met heel veel dingen achterop zijn geraakt. We moeten nodig een nieuwe televisie, de koelkast begeeft het vandaag of morgen en zo kan ik nog wel even doorgaan. We kwamen voor onszelf nergens aan toe, Clemens kon het allemaal alleen wel op. Daardoor zullen we nog steeds ik weet niet hoe lang moeten sparen voordat wij het bedrag voor de reis zelf bij elkaar hebben geschraapt. Nu wij het in de schoot geworpen krijgen kan ik er alleen maar verschrikkelijk blij mee zijn! Ik ga straks naar Wout en Marjet om hen ervoor te bedanken, wat jij doet moet jij weten. Als jij per se niet met me mee wilt, vind ik heus wel een ander die mij wil vergezellen op de lange reis. Jij ook altijd met je valse trots..." besloot ze verontwaardigd.

Jelmer zat met zijn ellebogen op zijn knieën, met beide handen ondersteunde hij zijn voorovergebogen hoofd. Zijn stem klonk even zwaarmoedig als hij zich op dit moment voelde. „Ik verlang net zo hevig naar Clemens als jij, daar hoef je niet aan te twijfelen. Ik heb er alleen zo'n moeite mee om mijn hand op te houden, dank je wel te moeten zeggen. Vooral waar het Clemens betreft, kan ik niet anders bedenken dan dat hij onze zoon is en dat wij, wij alléén, verantwoordelijk zijn voor zijn daden. Het is allemaal de schuld van die schoft, Anton Schuitema! Die kerel heeft ons kind willens en wetens meegesleurd het diepe in. Ik kan het nog altijd niet bevatten dat Clemens ja zei tegen die kerel. Dat hij niet aan ons dacht, niet aan God..." Jelmer schudde wanhopig zijn hoofd, uit zijn ogen drupten een paar tranen.

Annelies schoof dicht tegen hem aan en bewogen zei ze: „Stil maar, lieve schat. Ik weet wel dat jij het er ook nog dagelijks moeilijk mee hebt, ook al probeer je dat voor mij te verbergen. Ga nog maar een poosje liggen, je hoeft vanmiddag om drie uur pas naar je werk."

„Wat ga jij doen, áls ik er nog even weer onder kruip?" Het was een vraag waarop hij het antwoord zelf wel meende te kunnen invullen. Dat hij zich hierin niet vergiste werd hem duidelijk toen hij Annelies hoorde zeggen: „Ik wacht tot hun kinderen naar school zijn, dan ga ik naar Wout en Marjet. Ik moet hen bedanken, zeggen dat ze me verschrikkelijk blij hebben gemaakt."

„Vind je me een slappeling als ik zeg dat ik niet met je meega omdat ik er nog eens goed over na wil denken...?"

„Je bent in mijn ogen nog nooit een slappeling geweest, altijd een kerel uit één stuk. Waarom dacht je dat ik anders nog altijd onverminderd van je hou...?"

„Je bent een schat, ik ben trots op je."

Nadat hij haar een welgemeende kus had gegeven

kroop Jelmer nog even weg onder het dekbed, Annelies ging zich douchen en aankleden. Onderwijl dwaalden haar gedachten naar een ver, vreemd land. En terwijl ze murmelde: „Ik kom eraan, lieve jongen, ik kom je opzoeken," spoelde ze haar tranen weg met het warme water van de douche.

Het liep tegen tienen, Wout, Marjet en Louwina zaten achter de koffie en alle drie keken ze met vertedering naar Carmen. Het kleine hummeltje scharrelde op haar korte beentjes rond in haar speelhoek, ze tutterde onafgebroken tegen haar lievelingspop die ze aan een been achter zich aan sleepte. Wout merkte lachend op: „Ze beschikt nog niet over moederlijke gevoelens, want zo ga je toch waarachtig niet met je kind om! Ik zou graag willen weten wat er later van dit kleine mensje wordt. Wat voor beroep ze kiest, met wie ze trouwt, al dat soort dingen."

„Als ze maar gelukkig wordt, dan ben ik al dik tevreden," zei Louwina. Ze kon er niet verder op doorgaan, want op dat moment zei Marjet tegen Wout: „We krijgen bezoek, precies zoals ik je had voorspeld! Ik zei toch dat Jelmer en Annelies op hun klompen zouden aanvoelen wie de envelop bij hen in de brievenbus had gestopt! Ik zag Annelies net de oprit op fietsen, ze kan elk moment aanbellen."

Wout lachte breed. „Nou, wat dan nog, wij weten van niets! Als wij dat volhouden, kan Annelies het tegendeel niet bewijzen. Loop haar maar vast tegemoet en doe alsof je neus bloedt!"

„Hoe kun je dat zeggen, je weet toch dat toneelspelen niks voor mij is?" Hierna verliet Marjet het vertrek en stond Louwina gehaast op. Ze tilde Carmen op en met het kind in haar armen zei ze tegen Wout: „Ik ga naar boven de slaapkamers verder afmaken." Hij keek haar peilend aan. „Waarom zeg je niet gewoon dat je ons met Annelies alleen wilt laten?"

Louwina zond hem een ondeugend lachje. „Als jij dat uit jezelf al hebt begrepen, hoef ik het immers niet meer te zeggen! Je hebt wel gelijk, ik ken mijn plaats en weet dat wat Annelies jullie te zeggen heeft, niet bedoeld is voor mijn oren." Hierna maakte Louwina zich uit de voeten, en vlak erop loodste Marjet Annelies de huiskamer binnen. Met een opgeruimd klinkende stem zei ze tegen Wout: „Kijk eens, Wout, Annelies komt een kopje koffie bij ons halen!"

„Dat zou je vaker moeten doen," vond Wout, „volgens mij is het de eerste keer dat jij zo lekker vrij bij ons komt binnenlopen. Ga zitten!" wees hij met een armzwaai naar de bank.

Annelies bleef staan waar ze stond en ietwat verlegen met de situatie zei ze: „Ik ben niet iemand die zomaar ergens binnenloopt. Zeker niet bij mensen als jullie, die ver boven ons milieu uitsteken."

„Stel je niet aan, zeg!" zei Marjet bestraffend, „we zijn allemaal gelijk, we horen bij een en dezelfde kudde!"

Annelies was inmiddels gaan zitten op de plek die Wout haar gewezen had. Ze zat stijf, kaarsrecht en maakte beslist geen ontspannen indruk. Dat ze zich ook niet zo voelde bleek toen ze, moeilijk uit haar woorden komend, zei: „Ik weet niet goed wat ik ermee aan moet. Ik weet alleen dat ik jullie regelrecht vanuit mijn hart wil bedanken. Het is zoveel en zo lief en goed bedoeld..."

„Waar héb je het over?" Wout vertrok geen spier in zijn gezicht, Marjet wist echter niet hoe ze kijken moest. Annelies hield haar blik gericht op Wout. „Je weet heel goed dat ik de tickets bedoel en het vele geld dat we van jullie hebben gekregen! En nu kun jij duizendmaal nee zeggen, mijn ja zal die leugen van jou krachtig weten te overstemmen. Ik ben gekomen om jullie ervoor te bedanken, ik ben er helemaal ondersteboven van. Want hoe kan ik jullie bedanken voor zo ontzettend veel goedheid, daar zijn immers geen woorden voor..."

De vrouw was zichtbaar aangeslagen, en Wout besloot

haar niet verder in het nauw te drijven. „Nou, goed dan, ik heb gisteravond laat, toen bij jullie de lampen uit waren, eventjes voor postbode gespeeld. Daar moet je geen verdere vragen over stellen, wees er maar gewoon blij mee!"

„Dat kun jij nu wel zeggen, zo eenvoudig is het voor ons echter niet. Wij vragen ons af waar we dit aan verdiend hebben, begrijp je dat dan niet...?"

Wout trok met zijn schouders. „Het enige wat ik niet begrijp is waar jij je druk over maakt, het is immers heel eenvoudig te verklaren. Wij kunnen het missen, zullen er geen boterham minder om hoeven eten en jullie zitten erom te springen. Klaar toch!?"

„Voor mij wel," bekende Annelies zacht. „Ik neem het graag aan omdat ik al zo heel verschrikkelijk lang naar Clemens verlang. Jelmer heeft er echter moeite mee, daarom ben ik hier alleen, hij kon de stap nog niet zetten. In zijn hart verlangt hij net zo hevig naar Clemens als ik. En zo weet hij ook dat het zonder hulp van jullie voor ons nog lang zou hebben geduurd voordat wij hem in onze armen zouden kunnen sluiten. Geen sterveling weet hoe ik daarnaar verlang..."

Annelies wiste heimelijk een traan weg, Wout zei: „Met dat laatste vergis jij je, Annelies! Alleen hij die blind is zal het verdriet niet zien dat als een dicht waas om jou heen hangt. Marjet en ik zien hoe jij loopt te lijden en hoe jij nog steeds niet weer de oude bent. Wij besloten een helpende hand te bieden omdat wij ervan overtuigd zijn dat het de hoogste tijd wordt dat jij, Jelmer trouwens net zo goed, je zoon in zijn ogen kunt kijken. Dan zullen jullie in zijn blik mogen lezen dat hij geen gewetenloze misdadiger is!"

„Denk jij... zo over onze jongen? Echt waar...?" De hoop die haar vochtige ogen vulde ontroerde Wout, en Marjet nam het woord. Ze nam Koen als voorbeeld, maar ze noemde niet zijn naam, noch waaraan hij verslaafd was geweest. „Bepaalde jongens verliezen ongewild het goede uit het oog. De een raakt verslaafd aan de drank, een ander aan weer iets anders, bij Clemens was het de uitwerking van drugs waar hij gaandeweg geen weerstand meer aan kon bieden. En als hij dan de volstrekt verkeerde man tegenkomt die hem uit louter eigenbelang meesleurt naar de afgrond, kun je de rest als bijna vanzelfsprekend invullen. In een dergelijk geval mag of kun je niet spreken over een gewetenloos iemand, dat ben ik met Wout eens."

„Het doet me goed dit te horen," zei Annelies zacht. „Toen jij het daarnet had over de verkeerde man, moest ik meteen denken aan de brief die wij onlangs van Clemens kregen. Daarin schreef hij dingen waar wij niets van afwisten, waar we trouwens nog steeds minder dan de helft van snappen. In die brief vertelde Clemens ons dat hij in opdracht van Anton Schuitema, tegen wie hij helaas huizenhoog opkeek, zo veel mogelijk over jullie gewaar moest zien te worden. Alles was belangrijk voor hem, zelfs de details die voor Clemens onbeduidend mochten lijken. Jelmer en ik begrijpen niet waarom die boef van een Anton nieuwtjes over jullie nodig had. Raar, nietwaar, dat Clemens dit schreef?"

Marjet wist opnieuw niet hoe ze kijken moest, ze stond op om nog eens koffie in te schenken. En terwijl zij daarmee bezig was zei Wout zo neutraal mogelijk: „Tja, het is inderdaad vreemd, zo'n raadselachtige brief."

Annelies boog zich iets voorover naar Wout toe, haar stem klonk geheimzinnig. „We weten het natuurlijk niet zeker, maar Jelmer en ik denken dat Anton Schuitema het op Louwina had voorzien! Zij heeft hier op het dorp immers met hem samengewoond! Het kan best zo zijn geweest, bedachten wij, dat hij Louwina alsnog wilde straffen voor het feit dat zij toentertijd bij hem weggevlucht is! Want dat gebeurde en dat weet heel het dorp! Uiteindelijk werd de schurk gelukkig zelf gestraft, maar waarschijnlijk zal niemand er ooit achter komen waar Louwina voor gespaard is gebleven toen hij daarginder werd gearresteerd. Verkleed als een kogelronde, dikke oude vrouw, van top tot teen volgepropt met drugs. Is het niet vreselijk!?"

Wout knikte. „Anton Schuitema was geen beste, dat mogen we gerust vaststellen." Snel en doelbewust veranderde hij de naam die onderwerp van gesprek dreigde te zullen worden, in die van Clemens. „Jij gaat naar je zoon, denk daar maar liever aan! En Jelmer zal je vergezellen, daar ben ik niks bang voor! Zie je tegen de reis op, tegen de eerste ontmoeting met Clemens?"

„We hebben nog nooit gevlogen, Jelmer en ik, dus dat wordt een belevenis. En als we daar dan eenmaal staan, voor de poort van een gevangenis, stel ik me voor, dan zal er heel wat door ons heen gaan. Hoe zullen we hem aantreffen, zal hij gezond zijn, geestelijk sterk genoeg zodat hij de ontberingen in elk geval aan kan? Krijgt hij genoeg te eten, is er medische hulp, al dat soort dingen spoken onophoudelijk door ons hoofd. Hij is nog zo jong en zo vreselijk kwetsbaar nu... Binnenkort zullen we antwoord krijgen op al die bange vragen. Dankzij jullie... En wij kunnen niets terugdoen, alleen maar dank je wel zeggen. Maar dat komt recht uit mijn hart, geloof dat alsjeblieft...!" Annelies sloeg smekend een paar helderblauwe ogen op naar Wout. Hij zag dat die weer verdacht vochtig werden en om te voorkomen dat ze zou gaan huilen, deed hij gemaakt vrolijk en zei hij lachend: „Vergis je maar niet, Annelies Douma! Voor wat hoort wat, het duurt niet lang meer, dan zal ik bij Jelmer moeten aankloppen om hulp! Ook bij jou overigens, want wij hebben jullie straks allebei hard nodig!"

Nu keek Annelies verbaasd. „Je maakt me nieuwsgierig?"

Het deed Wout deugd dat hij vrouwentranen had kunnen voorkomen en dat hij haar nieuwsgierigheid had opgewekt. Alles was beter dan verdriet waar hij machteloos tegenover zou staan. Hij zette het koffiekopje waar hij een paar slokken uit genomen had weer terug op de salontafel en stak van wal. „Zoals je weet staat de grote schoolvakantie voor de deur. Jij en Jelmer hebben de reis naar Turkije dan inmiddels alweer achter de rug, en Marjet en ik zijn van plan om er dan met de kinderen tussenuit te gaan. Zonder Gijs, onze oudste, want hij heeft andere plannen gemaakt. Gijs gaat liever met een stel vrienden en vriendinnen op zeilkamp in Sneek, dan met zijn ouders mee naar Disneyland Parijs. Daar gaan wij met Jorden en Marieke naartoe, en in diezelfde periode gaat Louwina met Carmen logeren bij vrienden van ons, Bart en Klaartje Brouwer. Omdat de dieren hun verzorging uiteraard nodig hebben en Jelmer daar bij uitstek de aangewezen persoon voor is, kom ik hem eerdaags om hulp vragen. Nu jij hier toch bent kan ik het meteen aan jou voorleggen. Het is namelijk zo dat wij het huis liever niet onbeheerd willen achterlaten, het zou geweldig zijn als Jelmer en jij tijdens onze vakantie hier willen komen wonen. Of vraag ik nu te veel?"

Dolblij dat ze iets terug kon doen, wist Annelies niet hoe ze zich moest haasten te zeggen: „Nee, natuurlijk niet! Het is immers niets vergeleken bij wat jullie voor ons doen! Jelmer heeft drie weken vakantie te goed, twee ervan gaan op voor de reis naar Turkije, de derde week plus de snipperdagen die hij nog op kan nemen, kan hij hier bij jullie meer dan goed besteden. Ik moet er echter een voorwaarde aan verbinden, of beter gezegd, een eis!" Ze keek Wout indringend aan toen ze zich verduidelijkte. „Ik ken jullie, dus moet ik van tevoren zeggen dat we er niets voor willen hebben! Geen rooie cent, nog geen bloemetje! O, alsjeblieft, beloof me dat, want anders zal Jelmer gegarandeerd voor de eer bedanken. Hij is overgevoelig op dit punt en in dit geval sta ik vierkant achter zijn opvattingen. Als jullie mij hier je belofte voor willen geven, kunnen jullie er met een gerust hart op uittrekken. Jelmer en ik zullen samen voor de dieren zorgen als waren het onze kinderen. We zullen de siertuinen keurig onderhouden en ik zorg ervoor dat jullie bij thuiskomst een proper huis kunnen binnenstappen!"

Wout lachte om haar ernst. Hij stak zijn hand naar haar uit waar Annelies die van haar in legde. „De deal is gesloten, mag ik je al wel vast bedanken voor wat je beloofde?"

Annelies glimlachte. „Ik geloof dat jij net bent als alle mannen: je leert het nooit omdat je onverbeterlijk bent. Ik denk dat ik maar liever niet meer over bedanken moet beginnen, ik kan je beter Gods zegen wensen. Daar hebben jullie beduidend meer aan." Ze keek beurtelings van de een naar de ander en zacht zei ze: „Toch... ontzettend bedankt, ook namens Clemens." Hierna stond ze op, Wout en Marjet liepen met haar mee naar haar fiets. Toen ze daarop wegreed keek ze herhaaldelijk achterom en elke keer stak ze zwaaiend een hand op.

„Ze is een lief mens," vond Marjet, terwijl ze naast Wout weer naar binnen liep, „ik ben onzegbaar blij met jouw plan, deze mensen verdienen het om hun zoon in de armen te sluiten. Waar zou ik het eigenlijk aan te danken hebben dat ik mocht trouwen met zo'n schat van een man?"

Wout trok een gezicht. „Je hebt er ook weleens anders over gedacht, toen gebruikte je geen lieve woordjes, maar schold je me behoorlijk uit! Weet je nog, heel in het begin in Spanje?"

„Daar wil ik het niet meer over hebben, je moet geen oude koeien uit de sloot halen!"

Wout grinnikte vermaakt om de boze blik die ze hem toewierp, en hij hield haar eventjes staande om haar een kus te geven.

Ze kwamen tegelijk met Louwina en Carmen de kamer weer binnen en nadat Wout en Marjet haar het verloop van het gesprek met Annelies hadden verteld, zei Louwina meewarig: „Het is meer dan triest wat de Douma's is overkomen. Aan medelijden hebben ze helemaal niets, een ruggensteuntje kunnen ze goed gebruiken. Fijn, Wout, dat jij hun dat gaf!" Er schoof een blijde lach over haar gezicht toen ze verder ging. „Ik wist al dat jullie aan hen zouden vragen of ze hier wilden oppassen tijdens onze vakanties. Ik ben geen moment bang geweest dat ze er nee op zouden zeggen, maar het is toch wel een prettig gevoel om alvast te weten dat we straks onbezorgd de deur achter ons dicht kunnen trekken! Ik verheug me er echt op om een poosje bij Bart en Klaartje te zijn, ik vond het hartstikke lief van Bart dat hij niet wilde dat ik hier alleen achterbleef. Het was zijn idee om een beroep te doen op Annelies en Jelmer zodat ik er dan ook tussenuit kon. Nog even en dan krijg ik rijles! Gratis nog wel! Dat heeft Bart me ik weet niet meer hoe lang geleden beloofd, ik was het inmiddels alweer vergeten, hij echter niet. Het lijkt me doodeng, maar toch ook wel weer spannend. Ik weet alleen niet wat ik ermee moet, want zonder auto heb je weinig aan zo'n papiertje. Je mag niet aan Bart zeggen, hoor, dat ik dat zei!"

Wout schoot in de lach om de ernst waarmee ze dit gebood. „Wij verklappen niks, wees maar niet bang! Een rijbewijs is overigens nooit weg, zeker niet als je nog zo jong bent als jij! Vandaag of morgen loop jij tegen een man aan met misschien wel een slee van een auto en dan is het voor hem maar wat gemakkelijk dat jij die ook kunt besturen. Wat kijk je me nu misprijzend aan, had ik dat niet mogen zeggen?"

„Nee, want het slaat nergens op. Ik loop niet tegen een man aan, dat kan niet eens als je hem juist zo heel bewust ontloopt."

Hier wist Wout even niets op te zeggen, Marjet echter wel.

„Anton Schuitema, die doerak, heeft meer schade aangericht dan hij ooit zelf zal kunnen beseffen. Want mensen zonder gevoel kijken immers niet om naar een ander en in het eigen hart graven lukt dat soort al helemaal niet. Toch heeft hij momenteel alle tijd, zou je mogen veronderstellen, om na te denken over de sporen van ellende die hij heeft achtergelaten. Het doet er niet meer toe of hij ervan geleerd heeft, ik zie zijn leven tenminste als verloren."

Hierna keek ze beurtelings van de een naar de ander, de gezichten van Wout en Louwina drukten echter geen medelijden uit.

❀ 9 ❀

De grote zomervakantie, waar vooral de kinderen reikhalzend naar uit hadden gezien, was aangebroken. Gisteren waren Wout en Marjet met Jorden en Marieke vertrokken, de dag ervoor hadden ze Gijs naar zijn zeilkamp gebracht en had Bart Louwina en Carmen naar de stad gehaald.

Deze avond, Klaartje had de koffieboel opgeruimd en Bart schonk een drankje in, zei Louwina: „Ik had eerlijk gezegd niet verwacht dat Martijn zo dol op Carmen zou zijn. Hij speelt zowat de hele dag met haar, doet net alsof ze zijn zusje is. Leuk, hè?"

Klaartje was er inmiddels weer bij gaan zitten, ze keek bedenkelijk. „Wat jij leuk noemt! Toen ik hem daarstraks naar bed bracht wilde Martijn weten waarom hij geen broertje of zusje had. Hij keek me echt bestraffend aan toen hij zei: 'Bijna al mijn vriendjes hebben zusjes en broertjes, alleen ik niet! Dat vind ik een beetje gemeen van jullie, hoor!' Niet eerder, hè Bart, heeft hij zo duidelijk te kennen gegeven dat hij iets mist in zijn leventje. Ik heb hem gezegd zo het is, dat wij ook dolgraag meer kinderen zouden willen, maar dat je geen kindje op bestelling kunt krijgen. 'Daarom zijn wij zo verschrikkelijk blij met jou, want stel dat we jou ook niet hadden mogen krijgen, dan waren pap en ik toch heus wel een beetje verdrietig geweest, hoor!'. Daar raakte ik waarschijnlijk een gevoelige snaar mee, want hij kroop tegen me aan en lief als hij is probeerde hij mij te troosten: 'Ik meende het niet dat jullie gemeen zijn, hoor mam! En vanaf morgen zal ik nog liever voor jullie zijn dan ik de hele tijd al was!' "

Klaartjes gezicht drukte liefdevolle vertedering uit, en Bart zei: „We hebben het getroffen met die ene zoon van ons, hij is een regelrechte schat met een gouden hartje!"

Louwina kon niet nalaten op te merken: „Dat lieve hebben Jelmer en Annelies gelukkig ook aan Clemens mogen meemaken toen hij jong was. Het is zo verschrikkelijk jammer dat die jongen hun later zoveel verdriet bezorgde."

„Hoe is hun verblijf in Turkije eigenlijk verlopen," vroeg Klaartje, „Wout en Marjet hadden het zo druk met de voorbereidingen van hun vakantie dat we er niet of nauwelijks met hen over gesproken hebben."

„Het is allemaal niet vanzelf gegaan," vertelde Louwina. „In het begin stuitten ze op moeilijkheden die ze niet hadden voorzien. Toen ze de allereerste keer bij de gevangenis aankwamen werden ze ronduit honds behandeld. Wat ze ook deden, wat ze ook duidelijk probeerden te maken, ze werden niet bij Clemens toegelaten. Met de moed der wanhoop hebben ze toen de Nederlandse ambassade in Ankara opgezocht en daar werden ze niet alleen bijzonder vriendelijk ontvangen, maar kregen ze de hulp die ze nodig hadden. De eerste keer ging er een beambte met hen mee en nadat die een hartig woordje gesproken had mochten ze naar hun zoon. De volgende keren werden ze op vertoon van een soort pasje dat ze op de ambassade hadden gekregen, bij Clemens gebracht. Jelmer en Annelies hebben allebei geen goed woord over voor de gevangenbewaarders, die bleven de hele tijd moeilijk doen, ze gedroegen zich gewoon onmenselijk bot. De mensen met wie ze in hun hotel en in winkels van doen kregen, waren daarentegen juist opvallend vriendelijk en behulpzaam. Het uitstapje is voor de Douma's een hele belevenis geweest," besloot Louwina.

„Zijn ze ervan opgeknapt dat ze Clemens hebben gezien en gesproken, en hoe was hij eraantoe?" wilde Bart weten. Daarop herhaalde Louwina wat Jelmer en Annelies aan haar hadden verteld en dat was niet bar veel. „Toen ze hem de eerste keer zagen zijn ze vreselijk geschrokken. Hij was sterk vermagerd, zag er niet gezond uit. Maar hij gedroeg zich dapper, deed voorkomen alsof hij zijn vreselijke lot had aanvaard. Hoewel hij het er in het begin ontzettend moeilijk mee had gehad om van het ene op het andere moment geen drugs meer te krijgen, kon hij het er nu zonder stellen, had hij beweerd. Ze hebben niet zo gek veel samen kunnen praten, ze mochten twee keer per dag bij hem, elke keer echter maar acht minuten. Nou, je kunt wel nagaan dat die omvliegen! Annelies zei dat ze soms in die paar minuten niets tegen elkaar zeiden, dat ze elkaar alleen maar vasthielden en dat dat voor hen alle drie een heilzame werking had gehad. En zo zei ze ook: 'Clemens weet dat wij onverminderd van hem zullen blijven houden, dat we voor hem bidden. Hij, op zijn beurt, heeft ons beloofd dat hij later, als hij vrijkomt, alles aan ons zal goedmaken. Wat ons betreft heeft hij dat al gedaan. Hij is niet meer wie hij was, de blik in zijn lieve ogen is weer open en eerlijk. En net zo, betuigde hij ook telkens zijn spijt.' Ik vind het allemaal meer dan triest voor die mensen," verzuchtte Louwina. Klaartje knikte beamende bevestigend en Bart stelde weer een vraag. „Hebben Jelmer en Annelies iets over Anton Schuitema gehoord, of hebben ze soms ook met hem gesproken?"

Louwina schudde van nee. „Ze hebben geen enkele poging ondernomen om hem te kunnen ontmoeten. Toen Wout een dergelijke vraag aan Jelmer stelde zei hij: 'Het is maar goed dat we hem niet te zien kregen, als hij tegenover me zou hebben gestaan, had ik hem absoluut iets aangedaan.' Jelmer en Annelies waren blij dat ze bij Clemens waren geweest, maar dat ze er nu opeens stukken beter uitzien kan ik niet zeggen. Jelmer is ernstiger dan voorheen, Annelies' tranen blijven verdacht dicht aan de oppervlakte. Het zijn mensen die een ieders meeleven verdienen."

„Het doet mij deugd dat ze de komende weken in ieder geval afleiding hebben," zei Klaartje. „Op de boerderij van Wout hoeven ze niet naar werk te zoeken! Het vee zal Wout niet missen, als zij op tijd hun voer krijgen, vinden ze het best, veronderstel ik. Met Karel ligt het eventjes anders! Hij mist zijn volkje vast wel en zal van louter zieligheid niet van Jelmers zijde wijken. Denk je ook niet?" vroeg ze aan Louwina.

Deze knikte. „Ik weet heel zeker dat hij zich verlaten voelt, gelukkig weet die lieverd niet dat ik hem ook mis. Voordat ik wegging heb ik Annelies in het oor gefluisterd dat zij Karel bij zich in huis moet halen als hij echt heimwee toont. Ze heeft beloofd dat ze dat zeker zal doen, óók als er niets met Karel aan de hand is! Het is voor mij een geruststelling dat hij dus volop verwend zal worden."

Bart schonk hun glazen nog eens vol, en toen hij zijn stoel weer had ingenomen richtte hij zich tot Louwina. „Het lijkt mij voor jou wenselijk om een poosje afstand te nemen van alles en iedereen! De vakantiegangers zullen zich prima vermaken en Jelmer en Annelies zullen zich hoe dan ook op eigen kracht door hun sores heen moeten worstelen. Jij moet de komende tijd volop genieten, daarvoor hebben wij je hierheen gehaald!"

Louwina schonk hem een ontwapenende lach. „Maak je maar geen zorgen, ik doe niet anders dan genieten! Ik voel me hier lekker op mijn gemakje en dat komt doordat jullie me niet zien als een gast waar je de hele dag rekening mee moet houden. Jullie gaan gewoon je gang en dat schept een fijne, ontspannen sfeer!"

„We kunnen niet anders dan doen zoals we doen," vond Klaartje. „Wij hebben geen vakantie, de boel draait hier gewoon door. Bart heeft net als anders zijn werk, ik zal er echter voor zorgen dat ik zo veel mogelijk tijd voor jou kan vrijmaken. Het huishouden zit me niet op de rug, en net als iedereen weet jij dat ik niet bepaald poetserig ben. Ik stoor me niet aan een laagje stof of ander vuil. Dat valt me vanzelf wel weer een keer in handen, zo denk ik echter niet over de boekhouding. Daar ben ik een Pietje precies in en dus zal ik me regelmatig in het kantoortje moeten terugtrekken!"

„O, maar dat is helemaal niet erg!" haastte Louwina

zich te zeggen. „Het is voor mij geen enkel probleem om alleen met Martijn en Carmen de stad in te gaan. Ik heb Martijn een cadeautje beloofd, we zullen dus sowieso een speelgoedwinkel moeten opzoeken. Het lijkt me leuk om ook in andere winkels rond te neuzen, wat dat betreft biedt een stad beduidend meer vertier dan een klein dorpje. Ik loop ook met het plan rond om een keer naar Koen te gaan, het is alweer een tijdje geleden dat ik hem heb gesproken. Gaat het goed met hem?"

„Dat kan niet beter!" glunderde Klaartje. „In het begin waren we weleens bang dat hij een terugval zou krijgen, maar die angst heeft ons allang helemaal verlaten. We vinden het fijn dat hij op zichzelf woont, maar Bart en ik voelen ons gelukkig met het feit dat Koen dikwijls bij ons aan komt wippen. Zo eet hij ook regelmatig een hapje met ons mee. Het is voor mij geen moeite om een paar aardappelen meer te schillen, voor Koen is het gemakkelijk als hij na zijn werk een keer niet hoeft te koken. Maar ik moet hem wel van tevoren uitnodigen, hij is veel te bescheiden om ongevraagd bij ons aan tafel te schuiven. Wij zijn gaandeweg helemaal naar elkaar toe gegroeid, we mogen elkaar graag. En ik ben ontzettend blij dat jij hem eerdaags een bezoekje gaat brengen!"

Omdat Louwina vond dat Klaartje haar bij dat laatste een beetje eigenaardig aankeek, net alsof ze er iets bepaalds mee bedoelde, veranderde zij vliegensvlug van onderwerp.

„Gaan jullie er halverwege of tegen het eind van de schoolvakantie nog een poosje tussenuit?"

Bart beantwoordde haar vraag. „Het plan was dat we naar Argentinië zouden gaan, naar Klaartjes zus Inge en haar man Onno. Daar zijn we in goed overleg op teruggekomen, want het gaat niet zo goed met mijn moeder. Ze begint de laatste tijd te sukkelen met haar gezondheid. Je weet dat ze oud is, stokoud mag je haar noemen, en op een dergelijke hoge leeftijd kan er zomaar iets gebeuren. Dat God het verhoede, maar als haar toestand mocht verslechteren, dan willen wij in de buurt en paraat zijn. Ik zou het mezelf nooit vergeven als ik in het buitenland zou zitten en niet op tijd terug zou kunnen zijn als moe naar het ziekenhuis moest of erger. Dat laatste, daar gaan we niet van uit, daar wil ik nog niet aan denken." Hij nam een slokje van zijn wijn, een handje zoute pinda's en terwijl hij daarop kauwde, gaf hij nu op zijn beurt het gesprek een wending. „Jij hebt vandaag je eerste rijles gehad, het was een voorproefje, vanaf morgen pakken we het serieus aan! We gaan er een spoedcurcus van maken, je krijgt 's morgens en 's middags anderhalfuur les, hoe lijkt je dat?"

„Ja, leuk natuurlijk, maar is dat voor jou dan niet bezwaarlijk? Je hebt meer klanten, volgens mij zullen die voorrang op mij hebben?"

„Daar heb je gelijk in, maar ik ben hier niet de enige instructeur! Er zijn er weliswaar twee met vakantie, dat krijg je in deze tijd van het jaar, maar Siem van Rijswijk wil met plezier naast jou in de auto schuiven als ik bezet ben. Dat heb ik al met Siem besproken. Jij kent hem nog niet, hij is pas kort bij mij in dienst. Morgenochtend zal ik je aan hem voorstellen, morgenmiddag zul je meteen al met hem de weg op moeten, want dan moet ik theorielessen geven. Ik denk dat jij Siem wel mag! Hij is een leuke, spontane vent zonder poespas en bovendien van jouw leeftijd. Siem is zesentwintig, hij is een lange, ietwat magere man, zijn haar is rossig. Daar plagen wij hem vaak mee en daar kan hij niet tegen!" Bart lachte vermaakt, Klaartje berispte hem.

„Ik vind het helemaal niet leuk dat je daarom gaat zitten lachen! Ik vind het gewoon flauw als jullie hem vuurtoren noemen of er andere ongein over zijn haar uitkramen. Siem is alleen maar een beetje rossig en hij weet zelf dat hij niet moeders mooiste is. Daarom moet je juist voorzichtig met zo iemand omgaan, hem zeker niet met zijn uiterlijk in de maling nemen!"

„Je hebt me nieuwsgierig gemaakt," bekende Louwina lacherig, „ik ben nu echt benieuwd hoe de man eruitziet die me morgen les gaat geven. Maar ook al is hij desnoods een aartslelijkerd, als hij een klein beetje aardig is vind ik het allang goed!"

De volgende dag kon Louwina niet begrijpen dat Siem van Rijswijk zowel door Bart als door zijn collega's werd geplaagd. Vanochtend had Bart hen aan elkaar voorgesteld en hadden ze een kort gesprekje gevoerd. Jawel, ze had toen gezien dat zijn haar rossig was, dat hij een bleke huidskleur had, witte wenkbrauwen en ooghaæren. Bart had er echter niet bij vermeld dat Siem een goudeerlijke oogopslag had en dat hij een innemende lach had die zijn ietwat fletse uitstraling opeens iets sprankelends gaf. Hij mocht dan geen echte knapperd zijn, hij had wel iets wat prettig bij haar overkwam.

Nu zat ze naast hem in de leswagen en deed ze haar best zijn aanwijzingen zo goed mogelijk uit te voeren. Ze vond zelf dat het nog nergens op leek, Siem prees haar echter. „Met jou wordt het wel wat, je hebt er gevoel voor! Ik heb anderen meegemaakt die, net als jij nu, voor de tweede keer achter het stuur zaten. Je wilt niet eens weten hoe vaak ik in moest grijpen om een ongeluk te voorkomen en daar is bij jou geen sprake van! Je houdt de auto keurig op de weg, je doet het gewoon heel goed!"

Louwina hield haar blik strak gericht op de weg, haar handen omklemden het stuur alsof ze er houvast aan zocht. „Volgens mij zit jij me nu gewoon een beetje te vleien, je hebt er in ieder geval geen idee van hoe dik het zweet me op de rug staat! Poe, het valt me tegen, dat mag je gerust weten. Eigenlijk zou iedereen de weg een poosje moeten verlaten zodat die even voor mij alleen was. Ik praat ook te veel, is het niet?"

Je gebabbel klinkt me als muziek in de oren en je bent zo mooi dat ik mijn ogen haast niet van je af kan houden, flitste het door Siem heen. „Je mag gerust praten, als je maar blijft opletten. Past Klaartje nu op je kleine dochter?"

„Carmen doet momenteel haar middagslaapje, tegen de tijd dat ze wakker wordt ben ik al bijna klaar met lessen. Klaartje heeft het dus niet druk met haar en Martijn vindt het maar niks dat Carmen na de lunch naar bed moet. Hij beschouwt haar als een leuk speeltje en heeft niet in de gaten dat Carmen doodmoe wordt van zijn spelletjes."

„Ik heb haar vanochtend voor het eerst gezien en moet zeggen dat het een bijzonder mooi kindje is, die dochter van jou! Weet je dat ze sprekend op jou lijkt?"

„Dat zegt iedereen, dus moet ik het wel geloven. Nee hoor, ik zie zelf ook dat ze veel van mij heeft."

Siem kende haar achtergronden nog niet, hij keek haar van opzij aan en polste voorzichtig: „Ben je gescheiden of is je man overleden?"

Voordat Louwina antwoord gaf flitste het door haar heen: dank je wel, Bart, dat je mijn verleden voor Siem hebt verzwegen. Dan zei ze ietwat stroef: „Ik heb samengewoond, ben niet getrouwd geweest. Carmen was nog een baby toen haar vader en ik uit elkaar gingen."

„Tja, dat kan gebeuren," vond Siem. „Ik heb er geen verstand van, maar je hoort vaak zeggen dat van elkaar gescheiden mensen met elkaar in contact blijven als ze samen een kind hebben. Is dat bij jullie ook het geval en geeft dat geen moeilijkheden?"

Louwina jokte niet toen ze zei: „Hij is uitgeweken naar het buitenland. We zien en horen niets meer van elkaar en dat zal zo blijven. Heb jij een vriendin?" liet ze er in één adem op volgen.

„Je moet even opletten, je blijft te lang achter de auto voor je rijden. De bestuurster ervan rijdt veertig terwijl tachtig is toegestaan, ga haar maar voorbij." Hij wachtte totdat Louwina zijn advies had opgevolgd, dan beantwoordde hij haar vraag. „Nee, er is geen vrouw in mijn leven, ik ben vrijgezel. Iets anders kun je van mij toch ook niet verwachten!"

„Hoe bedoel je dat?"

„Kom nou, jij hebt je ogen niet in de zak, je hebt allang gezien hoe ik eruitzie! Elke vrouw met een beetje smaak past ervoor om een leven lang tegen zo'n lelijke kop te moeten aankijken."

„Je moet je niet zo aanstellen, man! Een vrouw met een dergelijke smaak gaat enkel af op de buitenkant en dat is het domste wat je doen kunt. Jij bent hartstikke aardig en daar kom je verder mee dan met het gezicht van een filmster."

„Het is lief van je om het zo te formuleren, en om te toetsen of je het ook werkelijk meent, vraag ik je of je zin hebt om zaterdagavond met mij uit te gaan? Ergens gezellig iets drinken, een bioscoopje pikken of wat dan ook...?"

Louwina bloosde, haar te lange aarzeling deed Siem triomfantelijk vaststellen: „Zie je wel, nou heb ik je al te pakken! Siem van Rijswijk is aardig, zolang hij niet al te dicht in de buurt komt!"

„Nee, nee, dat is het niet, echt waar niet! Ik schrok van je vraag omdat ik... Nou ja, ik kan het ook maar beter gewoon zeggen, dat ik bang ben dat jij het niet bij één avondje uit zult willen laten. En dan zal ik je moeten teleurstellen, want ik wil geen relatie meer. Ik wil alleen blijven met Carmen."

Siem staarde haar hoogstverbaasd van opzij aan. „Dat meen je niet! In het andere geval moet je er een gegronde reden voor hebben. Heeft je ex je misschien geslagen, mishandeld, zodat jij door zijn toedoen bang bent geworden voor de mannen in het algemeen?"

„Zoiets, ja. Vind je het goed, Siem, dat we een andere plaat opzetten? Ik wil hier liever niet op doorgaan."

Hij knikte en besloot in stilte Bart te polsen over Louwina's verleden, het was ook niet onmogelijk, oordeelde hij, dat een van zijn collega's die al jaren bij Bart werkte, meer over haar wist en zijn mond zou willen roeren. Hij was opeens stiknieuwsgierig naar Louwina's ex, naar de man die haar niet met fluwelen handschoentjes had aangepakt. Zo'n mooie vrouw, een ware schoonheid, daar deed je als man toch alles voor om haar juist niet te verliezen? Kon hij maar zeggen: kijk eens, dit is mijn vriendin, mettertijd zal ze mijn vrouw worden. Nu zat hij warempel sprookjes te verzinnen, het moest niet gekker met hem worden.

Moe als ze ervan geworden was, speet het Louwina niet dat haar lestijd eropzat. Toen ze uit de auto was gestapt kon ze niet om Siem heen, want toen vroeg hij: „Hoe zit dat nou zaterdagavond, of moet je daar nog langer over nadenken?"

Louwina lachte in zijn te ernstig staande ogen. „Nu jij weet hoe ik erover denk wil ik gerust wel een keertje met je uit. Kom je mij dan halen, zaterdag, tegen een uur of acht?"

„Graag! Héél graag!" Nu lachte hij weer zijn innemende lach.

Op de avond van diezelfde dag, vlak voor het naar bed gaan, zei Klaartje even verschrikt als beschaamd tegen Louwina: „Nu vergeet ik toch bijna aan jou te zeggen dat Koen heeft gebeld toen jij met Siem aan het lessen was! Hij vroeg of hij jou even aan de lijn kon krijgen, maar toen ik zei waarom dat onmogelijk was, mocht ik zijn boodschap aan jou doorgeven. Koen wil graag dat jij aanstaande zaterdagavond bij hem komt, hij wil je dan een gezellig etentje bij hem thuis aanbieden. Wat kijk je me nu verdwaasd aan, zo raar is dat toch niet?"

„Nee, het schiet alleen door mijn hoofd dat het leven in de stad inderdaad beduidend anders is dan op een dorp. Daar word ik door iedereen heerlijk met rust gelaten, hier krijg ik op één dag, twee uitnodigingen van twee verschillende mannen. Ik weet gewoon niet wat me overkomt, en of ik er blij mee ben is nog maar de vraag." Hierna vertelde ze wat Siem haar had gevraagd en dat zij had toegestemd. „Dat betekent dat ik Koen moet teleurstellen, ik zal hem morgen bellen om het te zeggen."

Louwina had er geen idee van wat zich op haar gezicht afspeelde, Bart zei echter: „Je hoeft er niet zo diep van te kleuren, het is niet meer dan normaal dat er mannen zijn die iets in jou zien. Jij mag er zijn en ik heb altijd al beweerd dat jij niet al te lang alleen zou blijven! Ik ben nu wel benieuwd wie het wordt: Koen, Siem of toch heel iemand anders? Hoe het ook zij, meisje, jij zult de liefde niet kunnen ontlopen, want je bent ervoor geschapen!"

Daarop sneerde Louwina: „Blijf jij je gerust bezighouden met mijn toekomstige liefdes als je daar plezier aan beleeft, ik wil er liever niets mee te maken hebben. Ik ga slapen, dat lijkt me wel zo gezond!"

Ze gaf Bart en Klaartje om beurten een nachtzoen en gehaast zocht ze de logeerkamer op. Daar boog ze zich over het voormalige ledikantje van Martijn waar Carmen nu als een roosje in lag te slapen. Heel voorzichtig om het kindje niet wakker te maken, beroerde ze met haar lippen Carmens voorhoofdje en heel zacht fluisterde ze: „Wees maar niet bang, hoor schatje, dat jouw mamma zich aan een man verslingert die zich lief en aardig voordoet, maar die later zomaar in een slechterik kan veranderen. Uit veiligheidsoverwegingen voor mezelf, maar vooral jegens jou, is het verstandiger dat wij samen verder gaan. Ik mag niet riskeren dat ons leven, dat nu mooi en goed is, er nog eens zo bedreigend zal gaan uitzien. Slaap maar lekker, mijn schatteboutje, ik zorg ervoor dat jij geen angsten zult kennen."

Eerder dan het Louwina lief was, was het zaterdagavond geworden en zat ze naast Siem in de bioscoop naar een film te kijken die haar niet kon boeien. Ze had al een paar keer met een schuin oogje opzijgekeken en gemerkt dat het Siem net zo verging. Elke keer had ze in de gauwigheid gezien dat hij zijn blik niet gericht hield op het witte doek, maar dat hij met een frons in zijn voorhoofd voor zich uit in het niets zat te staren. Ze vond het logisch dat hij zich naast haar zat te vervelen en dat haar gedrag wellicht wrevel bij hem opriep. Ze kon er toch echt niets aan doen, het had haar gestoord toen hij daarnet zijn hand op die van haar had gelegd. Om te voorkomen dat hij verder dan dat zou gaan, had ze haar hand onder die van hem weggetrokken en had ze hem een waarschuwende blik toegeworpen. Sindsdien zat Siem in gedachten verzonken en zij deed hetzelfde. Haar gedachten dwaalden naar Koen, het speet haar dat ze momenteel niet bij hem was. Dat kwam, bedacht ze, doordat ze Koen al een tijdje niet gezien of gesproken had. Zijn stem had teleurgesteld geklonken toen zij hem had gebeld om te zeggen dat ze niet op zijn uitnodiging in kon gaan omdat ze al een afspraak met iemand anders had. „O, ja... ik begrijp het en wens je veel geluk met je nieuwe liefde," had hij gezegd. Ze vond het stom, meer dan stom, dat iedereen haar doen en laten meteen in verband bracht met de liefde. Siem was aardig, maar zeker niet meer dan dat. Ze zou blij zijn als de film afgelopen was, want hoe langer die duurde, des te opgelatener voelde zij zich.

Dat Louwina wat dat betrof niet de enige was, bleek toen ze naderhand in een gelegenheid achter een drankje en een hapje zaten en Siem haar verontschuldigend aankeek. „Het is tot dusverre geen succes, hè?"

„Het spijt me. Ik kan me nou eenmaal niet mooier voordoen dan ik me voel..."

„Tijdens de film zag ik dat jij tegen iets zat te vechten, ik kreeg medelijden met je. En louter vanuit dat gevoel, Louwina, legde ik mijn hand op die van jou. Ik wilde je alleen maar troosten, jij zocht er echter meer achter. Toch?"

Louwina knikte van ja en zacht zei ze: „Hoewel ik je van tevoren duidelijk te verstaan had gegeven hoe ik erover denk, kreeg ik in de filmzaal meer en meer het gevoel dat jij die boodschap niet goed had opgepikt. Ik mag me vergissen, in mijn achterhoofd speelt echter de veronderstelling dat jij hoopt dat het tussen ons op den duur iets zal worden. En dat zal niet gebeuren. Echt niet, Siem...!"

Hij glimlachte en nadat hij in de schuimkraag van zijn biertje had gehapt, bekende hij: „Ik wil eerlijk zijn en dan moet ik zeggen dat het inderdaad mijn plan was om jou te veroveren. Omdat jij die keer zo overtuigend zei dat jij me niet lelijk vond, ging ik ervan uit dat ik bij jou een goede kans zou maken. Zo dacht ik toen ik nog niet nauwkeurig genoeg over bepaalde zaken had nagedacht, dat heb ik inmiddels wel gedaan."

„Vind je het gek dat ik je nu even niet kan volgen?" Louwina zocht vragend zijn gezicht af, Siem glimlachte opnieuw.

Hij was de ernst zelve toen hij zich tegenover Louwina verduidelijkte. „Ik heb van de week een gesprek gehad met Pim, een van mijn collega's. Jij zult vast wel weten dat Pim al bij Bart in dienst is sinds Bart de autorijschool van zijn voorganger overnam. Ik heb Pim aangeklampt om meer te weten te komen over jouw achtergronden. Ik geef eerlijk toe dat ik daar behoorlijk nieuwsgierig naar was. Nadat Pim mij het een en ander had verteld herinnerde ik me de geruchtmakende krantenartikelen over de twee Nederlandse mannen die in Turkije gearresteerd waren. Natuurlijk heb ik dat nieuws destijds met zowat rode konen gelezen, maar toen kende ik jou nog niet. Nu dat wel het geval is kan ik alleen maar zeggen dat ik met je te doen heb. En nu kan ik het me heel goed voorstellen dat jij huiverig voor de liefde bent geworden en ervoor kiest om samen te blijven met je kleine meid. Dat wilde ik je duidelijk maken toen ik mijn hand op die van jou legde, maar dat gebaar alleen was niet voldoende, er waren woorden voor nodig. Aan mijn voorgaand relaas wil ik nog toevoegen dat jij van mij niets te vrezen hebt! Ik zal het je nooit meer moeilijk maken, kun je dan nu weer lachen?"

„Je bent een fijne vent," zei Louwina bewogen, „daar heb ik me dus geen moment in vergist. Dank je, Siem, voor je begrip."

Ze trok verwonderd haar wenkbrauwen op toen ze Siem hoorde zeggen: „Ik moet nog iets aan je bekennen, maar dat kost me meer moeite dan dat van daarnet. Ik kwets niet graag mensen, jou zeker niet." Siem zweeg en toen Louwina een moment een afwachtende houding had aangenomen en haar geduld opraakte, spoorde ze hem aan: „Weet je dat het niet goed is om van je hart een moordkuil te maken? Je kunt tegen mij gerust open en eerlijk zijn, hoor!"

Na nog een aarzeling stak Siem opnieuw van wal. „Ik zei zopas dat ik meende dat het tussen ons mogelijk iets zou kunnen worden, voordat ik nauwlettend over bepaalde zaken had nagedacht. Ik heb de afgelopen dagen niet anders gedaan dan mijn geweten omploegen. En zo kwam ik erachter dat het tussen jou en mij niets zal kunnen worden omdat ik... het vanwege Carmen niet aandurf. En geloof me alsjeblieft als ik zeg dat dit absoluut niets te maken heeft met jouw verleden, ik had deze conclusie voor mezelf al getrokken voordat ik met Pim had gesproken. Het lijkt me gewoonweg verschrikkelijk moeilijk, ik ben er de geschikte man in ieder geval niet voor, om het kind van een ander groot te brengen. Daar kwam ik al gravend in mijn binnenste achter, dus behalve lelijk ben ik wellicht ook nog eens een slapjanus. Het spijt me, maar ik vond dat ik dit, over jouw dochter, toch tegen jou moest zeggen."

Louwina trok met haar schouders. Ze moest de bekentenis even verwerken voordat ze kon zeggen: „Dankzij jouw openhartigheid kan ik ervan verzekerd zijn dat er niet achter me aan gejaagd wordt. Dat is me veel, zo niet alles waard."

„Ik wil toch nog een keer op Carmen wijzen," zei Siem, hij keek haar trouwhartig aan. „Om te zien is ze een allerliefst popke en juist omdat zij jouw dochter is, mag ze niets tekortkomen. En dat zou bij mij kunnen gebeuren, begrijp je, Louwina, dat ik ervoor teruggeschrokken ben toen ik mezelf die spiegel voorhield?"

„Ik geloof dat ik vanavond al eerder heb gezegd dat ik je een fijne vent vind? Ik durf wedden dat er mannen zijn die zich minder zorgen zouden maken om mijn kind, als ze mij per se zouden willen veroveren. Omwille van Carmen cijferde jij jezelf weg en daar bedank ik je voor!"

„Kunnen we vrienden blijven?"

„Naast Bart ben ook jij mijn rij-instructeur, ik moet je te vriend houden anders zou je me uit rancune een verkeerde manier van rijden kunnen aanleren waardoor ik zou zakken! Nee hoor, dat is natuurlijk je reinste flauwekul, ik wil jou graag als een vriend beschouwen." Ze schonk hem een geruststellende blik waar ze haar gedachten achter verborg: je hebt me aan het denken gezet, Siem van Rijswijk. Niet eerder heb ik ingezien dat Carmen een struikelblok zou kunnen zijn voor een eventuele nieuwe man in mijn leven. Het idee stuit me pijnlijk tegen de borst, tegelijkertijd weet ik dat het nu een dubbele zegen voor me is dat ik het zonder de liefde kan stellen. Daar is mijn dochter mee gebaat, dat mag ik geen moment vergeten.

Niet lang hierna bracht Siem Louwina thuis, ze namen in zijn auto afscheid. Het woord bedankt, dat ze allebei gebruikten, had een verschillende lading, het vluchtige wangzoentje dat ze elkaar verlegen gaven, was er een zonder betekenis.

✾ 10 ✾

Zoals Siem tegenover niemand iets had losgelaten, zo had Louwina niet aan Bart en Klaartje verteld wat er tussen Siem en haar was voorgevallen. Wat niet weet dat niet deert, had ze bedacht. Bart en Klaartje waren nog op geweest toen zij gisteravond thuiskwam. Op hun nieuwsgierige vraag hoe ze het had gehad, had ze gezegd: „O, wel gezellig, hoor. Siem is best wel aardig, zoals jij eens zei, Bart, iemand zonder poespas. Maar jullie hoeven niet bang te zijn dat ik er een gewoonte van maak om in het weekend op stap te gaan. Als geen ander weet ik dat een alleenstaande moeder 's avonds niet de hort op hoort te gaan."

„Wat is dát nou weer voor onzin!" had Klaartje gelachen, Louwina had er schokschouderend op gereageerd. „Voor mij is het een gegeven dat ik geen moment uit het oog mag verliezen."

Stil had ze er achteraan gedacht: mijn kind mag voor geen sterveling een struikelblok zijn of worden, daar kan ik niet genoeg voor waken.

De bekentenis van Siem had meer bij Louwina losgeweekt dan ze zou willen toegeven, ze vond het al vervelend genoeg dat ze er niet van had kunnen slapen. Een alleenstaande vrouw met een kind, het was opeens net alsof er een stempel op haar voorhoofd was gedrukt.

De volgende ochtend, toen Bart en Klaartje met Martijn uit de kerk kwamen, werd er niet meer gesproken over de voorgaande avond, maar zei Klaartje drukdoenerig: „Ik drink snel een kopje koffie en dan verdwijn ik in de keuken! Ik heb voor vanavond een recept voor een Japanse kipschotel, daar ga ik alvast de nodige voorbereidingen voor treffen." In één adem door zei ze tegen zowel Bart als Louwina: „En jullie kunnen me geen van beiden helpen, ik wil niet op de vingers gekeken worden. Laat me maar mooi alleen, dat heb ik het liefst!"

De anderen haalden hun schouders op, en Klaartje had

het vertrek nauwelijks verlaten toen Bart lachend opmerkte: „ Het mag hier in huis dan niet altijd even proper zijn, wat mij trouwens niet opvalt, de maaltijden die mijn vrouwtje op tafel tovert zijn om te smullen! Ze is een ware keukenprinses!"

„Sinds ik hier logeer is mij dat zeker niet ontgaan, ik doe het Klaartje niet na. Ze heeft anders wel een gulle hand van koken, er blijft altijd over en zodoende zit de diepvrieskist vol met restjes! Nou ja, op zijn tijd is het best wel gemakkelijk om een voorraadje resten in huis te hebben," besloot Louwina.

„Nu jij dat zo zegt kunnen we Koen wel uitnodigen om te komen mee-eten, dan blijft er in elk geval minder over dan zonder hem," opperde Bart. „En niet alleen daarvoor, maar meer nog voor de gezelligheid. Die kan hij volgens mij wel gebruiken, hij zit daar maar in zijn uppie in dat kleine huisje van hem."

Louwina wierp een blik door de openstaande tuindeuren naar buiten, en toen ze zag dat Martijn en Carmen zich daar kostelijk vermaakten, richtte ze zich tot Bart. „Ik hoor jullie vaker iets dergelijks over Koen zeggen, staat hij werkelijk zo alleen dan?"

Bart knikte.

„Dat kon ook immers haast niet uitblijven? De vrienden die hij had vóór zijn gokverslaving, hebben hem de rug toegekeerd toen het met Koen bergafwaarts ging. In die slechte tijd van zijn leven had hij geen vrienden, met de mensen die hij toen kende wil hij nu uiteraard geen omgang meer hebben. En nu is het moeilijk voor hem om als man alleen een nieuwe vriendenkring op te bouwen. Zijn leeftijdgenoten zijn of getrouwde stellen met kinderen, of mensen die samenwonen, kom daar als alleenstaande dan maar eens tussen!" Hij wierp Louwina een bepaalde blik toe toen hij zich hardop afvroeg: „Ik snap niet hoe het kan bestaan dat Koen en jij elkaar niet beter hebben leren kennen. Het valt gewoon op dat jij zo goed als niks van hem weet en dat, terwijl juist jij hem bij ons bracht toen hij er meer dan beroerd aan toe was!"

Louwina wist er niets anders op te zeggen dan: „Ik weet ook niet hoe dat komt, zoiets gebeurt dan blijkbaar gewoon. Ik heb hem helpen verhuizen, daarna hebben we elkaar inderdaad weinig meer gezien en gesproken. Het zal wel komen doordat we niet in dezelfde plaats wonen."

„Dat heeft er vast mee te maken," vond Bart, daarna sprong hij op uit zijn stoel. „Ik ga hem meteen bellen, dan kan ik het tenminste niet vergeten."

Bart voegde de daad bij het woord, het werd een kort telefoongesprekje dat door Bart beëindigd werd met het gastvrije: „Nou kerel, spring op je fiets en kom meteen naar ons toe! Dan kun je zo dadelijk een borreltje met mij drinken, daarna een lichte lunch met ons gebruiken om vanavond je buik kogelrond te eten! Tot zo!"

Nadat de verbinding was verbroken zei Bart glunderend tegen Louwina: „Ziezo, dat is geregeld! We gaan er samen een gezellige dag van maken!"

Op dit ogenblik kon Bart nog niet weten waardoor zijn plannen gedwarsboomd zouden worden, en net als hij leefde ook Louwina nog in het ongewisse. Zij wierp opnieuw een blik naar buiten. „Het regende gisteren zowat aan één stuk door, daarom heb ik de tuinstoelen naar binnen gehaald. Maar nu is het heerlijk weer en is het jammer dat we binnen zitten! Help je me, Bart, de tuinstoelen weer op het terras te zetten?"

„Ik neem de stoelen voor mijn rekening, als jij de kussens erin legt, is de klus in een handomdraai geklaard."

Ze waren net klaar, zaten heerlijk in de zon, toen Koen achterom kwam. Hij gaf Bart als begroeting een joviale klap op zijn schouder, Louwina een hand. En dat hij haar niet verwacht had liet hij blijken door te zeggen: „Ik had gedacht dat jij bij je nieuwe liefde zou zijn, of ga je zo dadelijk naar hem toe?" Koen speurde haar gezicht af, en Louwina bloosde toen ze ietwat stroef antwoordde. „Ik ben me niet bewust van iets nieuws in mijn leven, jij weet blijkbaar meer dan ikzelf."

Op dat moment kwam Klaartje naar buiten, Louwina was blij dat ze Koen geen verdere tekst en uitleg hoefde te geven. Nadat Klaartje en Koen elkaar hadden begroet zei Klaartje vergenoegd: „Fijn, dat we buiten kunnen zitten! Maar ik moet even niet in de zon, ik kruip weg onder de parasol. Ik ben boven het fornuis al stikheet geworden. Het eten staat nu bijna zo ver klaar, het was beduidend minder bewerkelijk dan ik had gedacht. Straks moet ik hooguit nog een halfuur in de keuken staan, ik ben er bij weggelopen toen ik Koens stem hoorde. Gezellig dat je gekomen bent, nu kun je fijn de hele dag bij ons te gast zijn en lekker met ons mee-eten en drinken!"

„Daar reken ik op, Bart heeft me overigens gebeld en gevraagd of ik wilde komen!"

„Ach, hoe dom van me, dat had ik kunnen weten, want jij komt immers niet onuitgenodigd!" Ze tilde Carmen op die aan haar rok trok. Ze kuste en knuffelde het kindje en zei vertederd: „Dag schatteke, was ik te lang in de keuken, heb je me gemist? Je bent mijn lieve, kleine kuikentje. Wat zegt een kuikentje?"

Carmen peuterde aandachtig met een spits vingertje aan de ketting om Klaartjes hals, over de vraag hoefde ze niet na te denken. „Boe!"

„Nee, malle meid, koetjes zeggen boe, kuikentjes toktok!"

Carmen schudde beslist haar hoofdje. „Boe."

„Al goed, al goed," lachte Klaartje, „in jouw kinderwereldje piepen de kuikens boe en loeien de koeien toktok. Maar dat weet je heel goed, je doet nu zoals je soms bent: behoorlijk eigenwijs!" Carmen wurmde zich los uit Klaartjes armen en toen Klaartje haar weer op de grond zette, dribbelde ze de tuin weer in op zoek naar Martijn. Ze werd door de anderen nagekeken tot de telefoon overging. Bart nam op, hij luisterde gespannen naar de stem aan de andere kant van de lijn. De anderen schrokken toen ze Bart hoorden zeggen: „Is het erg? Nee? O, gelukkig! Ja, maar vanzelfsprekend komen we meteen, we zijn bij wijze van spreken al onderweg. Tot zo dadelijk en bedankt voor het belletje!" Hierna wendde Bart zich naar Klaartje, zij had al begrepen wat er aan de hand was. „Het gaat niet goed met moe, hè Bart...?"

Hij schudde van nee, maar stelde haar gerust. „Je hoeft niet zo verschrikt te kijken, want het schijnt mee te vallen. Het was Anita die belde en ze zei dat moe erg onrustig was en zich niet lekker voelde. Moe vroeg al de hele morgen naar ons, naar Martijn vooral, zei Anita. Om moe te kalmeren vroeg zij of we even langs wilden komen. Uiteraard met Martijn!" Hierna praatte Bart verder tegen Louwina en Koen. „Sinds mijn moeder in het verzorgingstehuis verblijft, wil ze het liefst geholpen worden door Anita. Zij is een jonge, getrouwde vrouw, het is voor ons ontroerend te zien met hoeveel liefde en goede zorgen zij moe omringt. Die vrouw heeft hart voor al de bewoners van het tehuis, wij verdenken haar er echter stilletjes van dat moe desondanks toch een streepje bij haar voor heeft. Maar al met al zullen wij jullie nu alleen moeten laten. Het spijt me."

„Toe, Bart, maak je nou geen zorgen om ons! Ik hoop dat het inderdaad meevalt, dat je moe enkel een beetje heimwee heeft," zei Louwina.

Daarop vertelde Klaartje: „Het is vaker voorgekomen dat we zo onverwacht geroepen werden. Als we dan bij moe waren, knapte ze zienderogen op. Ik durf te stellen dat ze niet in de eerste plaats naar ons verlangt, maar dat ze Martijn weer erg mist. En we gaan toch zo dikwijls naar haar toe en altijd nemen we hem mee. We weten immers dat hij haar oogappeltje is en dat ze het niet langer dan hooguit een paar dagen zonder hem kan stellen. Het spijt me dat we spelbrekers moeten zijn, maar we kunnen moe nu niet aan haar lot overlaten. Je hoeft straks alleen maar de soep warm te maken, met een broodje erbij haal je de avond wel. Maar dan zijn wij allang weer thuis!"

Vervolgens riep ze Martijn. „Kom, lieverd, we gaan even naar oma, ga je mee?"

Zijn reactie was voorspelbaar. „Mag Carmen dan ook mee?"

Klaartje legde uit dat dat niet kon omdat Carmen zo dadelijk haar middagslaapje moest doen. Martijn wierp een spijtige blik op zijn kleine vriendinnetje, maar dan huppelde hij voor Bart en Klaartje uit naar de auto.

„Wat kan er toch gauw iets gebeuren waardoor alles er opeens anders uitziet," vond Louwina. Ze had Carmen op schoot genomen en met haar armen om het kleintje heen praatte ze verder. „Ik hoor Bart nog zeggen: we gaan er een gezellige dag van maken, het was toen zeker niet zijn bedoeling om ons alleen te laten. Ik vind het zielig als oude mensen te kampen hebben met heimwee en ben blij dat Bart en Klaartje dat voor moe Brouwer gaan opheffen. Ik ken haar niet persoonlijk, alleen van horen zeggen. Jij dan?"

„Ik ben één keer met Bart bij haar op bezoek geweest. Ze leek me een lief oud mensje, het was voor mij echter een momentopname en daarin leer je iemand niet echt kennen. Toch schrok ik zopas van Barts eerste reactie op het telefoontje, want je weet het maar nooit. Niemand heeft immers het eeuwige leven?" Hij dronk het bodempje bier op en toen hij het lege glas weer op de tuintafel zette, veranderde hij van onderwerp. „Hoe is het anders met jou, met je rijlessen, bedoel ik?"

Louwina trok een gezicht. „Eerlijk gezegd valt het me niet mee, je moet op zo ontzettend veel dingen tegelijk letten. Maar zowel Bart als Siem zeggen telkens dat ik het goed doe, dat ik er gevoel voor heb. Dat neem ik dan maar aan."

Ze sloeg haar mooie, diepbruine ogen op naar Koen en met overtuiging zei ze: „Jij had het over een nieuwe liefde in mijn leven, je wenste me er geluk mee, maar ik heb niets met Siem van Rijswijk. Ik snap niet hoe jij op dat idee kwam!"

„Het is niet alleen de intuïtie van een vrouw die sterk ontwikkeld kan zijn, voor een man kan precies hetzelfde gelden. Ik geloof in wat me ingegeven wordt en laat me niet snel met een kluitje in het riet sturen."

„Je gelooft mij dus niet op mijn woord!"

„Dat heb je goed geraden!"

„Nou, ja zeg…!" stiet Louwina verbluft uit. Ze dacht een moment na en kwam tot de conclusie dat ze open kaart zou moeten spelen om Koen van zijn waanidee af te helpen. Na nog een korte aarzeling vertelde ze dat zij niets in Siem kon zien omdat ze alleen wilde blijven met Carmen. „Siem, op zijn beurt, heeft heel even gedacht dat hij mij voor zich zou weten te winnen, totdat hij bij Carmen terechtkwam. Toen drong het klaar en helder tot hem door dat hij het niet op kon brengen om het kind van een ander te moeten grootbrengen. Zo hebben wij het onderling eerlijk uitgesproken en besloten om alleen vrienden met elkaar te blijven. Heb ik je hiermee kunnen overtuigen dat ik werkelijk alleen met Carmen verder wil, dat ik Siem er niet bij nodig heb!?"

In plaats van haar vraag te beantwoorden zei Koen bedachtzaam: „Er zijn inderdaad mannen die huiverig terugdeinzen voor een vrouw met een kind, ik kan me daar echter niet in verplaatsen. In mijn ogen is een dergelijke vrouw kwetsbaar en heeft ze de bescherming van een man juist nodig." Hij zond Louwina een blik die zij geen naam durfde te geven, maar die haar wel nerveus maakte. „Ik, eh… ga naar de keuken om de soep warm te maken." Alsof ze opeens vreselijk veel haast had, zo snel maakte ze zich uit de voeten.

Soep warm maken, een paar boterhammen smeren en beleggen, was een fluitje van een cent en binnen een kwartier was ze er klaar mee. Met een vol dienblad liep ze van de keuken naar de kamer, en ze wilde juist over de drempel van de openstaande tuindeur stappen toen ze stokstijf bleef staan doordat ze Koen tegen Carmen hoorde praten. Hij zat in zijn stoel met zijn rug naar haar toe, Carmen zat op zijn schoot, ze leunde vertrouwelijk tegen hem aan. Het tafereeltje ontroerde Louwina. Koen waande zich alleen met het meisje, waardoor hij zijn stem niet dempte. „Zo mooi als je bent, zo lief ben je ook, heeft je mamma dat weleens tegen je gezegd? Of zegt een moeder dat soort dingen juist niet omdat ze haar kind wil behoeden voor ijdelheid? Als ik jouw pappa was zou jij van mij gerust een kleine ijdeltuit mogen zijn, hoor!" Hij streek het kindje over haar donkere krullenbol, en Carmen hief haar snoetje naar hem op. Ze had een naam opgevangen die ze uitspreken kon. „Pappa!" Ze lachte blij naar Koen, hij schudde zijn hoofd. „Was het maar waar dat ik die naam eer aan mocht doen. Zo'n klein meisje als jij hoort een pappa te hebben, maar jouw moeder moet van mij niks hebben. Ze is doodsbang dat ik in slechte gewoontes van vroeger zal terugvallen. Dat zegt ze wel niet met die woorden, ik weet het echter toch wel. Wat zit ik raar tegen je te kletsen, hè, je snapt er helemaal niets van en dat is maar goed ook!" Nu drukte hij in een impuls een kus op een bos donkere kinderkrullen, Louwina kon het niet langer aanzien. Ze voelde tranen achter haar ogen branden. Geruisloos liep ze een paar stappen terug de kamer in, ze moest zich toespreken voordat ze het kon doen voorkomen als kwam ze regelrecht uit de keuken en wist ze van niks. „Ik heb heerlijke soep, ik hoop dat het jullie zal smaken!"

Ze durfde Koen niet aanzien toen ze een kom soep voor hem neerzette, noch toen ze Carmen van zijn schoot tilde. „Kom maar, jij krijgt van mij een paar hapjes soep en een bordje vol pap. En dan ga je lekker slapen, ik zie dat je oortjes rood worden, dat is voor mij het teken dat je meer dan moe bent."

Louwina voerde haar kleine dochter, Koen lepelde zijn soep naar binnen en onderwijl opperde hij: „Daar kon jij weleens gelijk in hebben! Toen ze zopas bij me op schoot zat vielen haar oogjes een paar keer bijna dicht. Maar ja, ik zat ook maar wat uit mijn nek te kletsen, daar zou je als volwassen mens nog slaap van krijgen."

Louwina hield haar blik gericht op Carmen. „Het komt niet door jou, ze is gewoon nog te klein om zonder een middagslaapje de dag door te kunnen komen."

„Je bent dolgelukkig met haar, is het niet?"

„Ja, natuurlijk! Ze is mijn bloedeigen kind, mijn alles..." Ze voelde dat Koens blik strak op haar gericht was en op een gegeven moment was ze blij dat Carmen bij elk hapje pap dat zij haar wilde geven, haar hoofdje afkeerde en een lelijk gezichtje trok. „Kom maar, lieverdje, ik zie dat je genoeg hebt en met een vol buikje zul je extra lekker slapen." Nu zocht en vond ze Koens blik. „Ik breng haar even naar boven, ben zo terug." Ze stond meteen op en met Carmen in haar armen verdween ze in het huis. In de logeerkamer kleedde ze Carmen uit en terwijl ze de luier verwisselde voor een droog exemplaar, zei ze fluisterend: „Je had tegen hem geen pappa moeten zeggen, dom meisje. Bart vindt het amusant als je pappa tegen hem zegt, met Koen ligt het beduidend anders..." Ze legde Carmen in het ledikantje, stopte haar behoedzaam onder en gebogen over het kinderbedje spookten er flarden van het gesprek dat ze stiekem had afgeluisterd door haar hoofd. Een klein meisje als jij hoort een pappa te hebben... Je moeder wil van mij niets weten... Hoe kwam Koen op het waanidee dat zij bang was dat hij een terugval zou krijgen? Het zat haar gewoon dwars dat Koen zo over haar dacht, want het was niet waar. Net als Bart en Klaartje, en Wout en Marjet, was zij ervan overtuigd dat Koen zichzelf had teruggevonden en dat hij het rechte pad nooit meer uit het oog zou verliezen. Dat moest ze straks aan hem zeggen, het misverstand waar hij mee rondliep moest de wereld zo snel mogelijk uitgeholpen worden. Ze slaakte een zucht, streek Carmen nog een keer liefdevol over haar bolletje, en vervolgens verliet ze de logeerkamer. Onderwijl ze de trap afdaalde vroeg ze zich af hoe ze zich nu jegens Koen moest gedragen. Carmen had zo lief pappa tegen hem gezegd, onthield zij haar kind dan werkelijk dat, wat Koen had beweerd, een vader...? Ze gunde haar kind het allerbeste, wat dat betrof zou Koen de enige zijn die ervoor in aanmerking kwam, maar ze was er toch zelf ook nog? Ze mocht Koen ontzettend graag, maar dat had niets met liefde van doen. Hè, wat vervelend dat ze nu opeens opgezadeld werd met vragen waar ze geen pasklaar antwoord op had. Waren Bart en Klaartje maar weer thuis, het was nu bijna te spannend om alleen met Koen te moeten zijn.

Toch kwam Louwina daar niet onderuit, ze was bij het terras aangekomen en met een blik op de tafel zei ze verrast: „Ik zie dat je de tafel al hebt afgeruimd!"

Koen zond haar een lach. „Wat dacht jij dan, dat ik niet weet hoe het hoort? Ik heb de vuile troep zelfs in de vaatwasser gezet! Slaapt je kleine meid?"

„Ja, en voorlopig blijft ze wel een poosje in dromenland. Hoe zou het met Barts moeder zijn, ik hoop dat ze zich weer happy voelt nu ze haar kinderen en kleinzoon bij zich heeft."

Koen taxeerde haar gezicht voordat hij bedachtzaam zei: „De band tussen moe Brouwer en haar kinderen is stevig en goed, en dat kun je niet van iedereen zeggen. Mijn vader en mijn stiefmoeder zien mij liever gaan dan komen. Ze weten voor zichzelf heel zeker dat ik op een keer toch weer aan het gokken verslaafd zal raken en bij voorbaat blijven ze mij daarom maar liever hun rug toekeren. Nou ja, ik heb het er zelf naar gemaakt, ik mag me er dus niet over beklagen."

Louwina voelde aan dat ze er nu op door moest gaan. Ze sloeg haar ogen op naar Koen en bekende: „Ik heb daarstraks gehoord wat jij tegen Carmen zei. Ik heb je staan afluisteren. Ik weet dat het niet netjes is, toch heb ik er achteraf bezien geen spijt van. Want nu kan ik tenminste recht in je gezicht zeggen dat jij er faliekant naast zit! Ik ben namelijk helemaal niet bang dat jij een terugval zult krijgen, integendeel: ik wéét honderd procent zeker dat jij alleen het woord gokken al zult blijven verafschuwen. Ik wil dat je weet dat ik geen wijzende vinger naar je uitsteek, maar dat ik onvoorwaardelijk in je geloof!"

„Dank je, dit doet me goed...!" Hierna staarde hij een ogenblik in gedachten verzonken voor zich uit totdat hij Louwina een vraag stelde. „Denk jij nog weleens terug aan onze allereerste ontmoeting...?"

„O ja, vaak zelfs. Dat moment was dusdanig ingrijpend dat je het niet kunt vergeten. Ik herbeleef het allemaal zelfs nog regelmatig, dan zie ik je weer op je hurken zitten, hoor ik je zeggen: 'Ik kan het niet,' en dan zie ik ook meteen weer de revolver in je hand. Al die details, ze staan in mijn geheugen gegrift. Jij was er toen bar slecht aan toe, maar dat is gelukkig voltooid verleden tijd!"

„Ik weet het ook nog allemaal precies, ik hoef mijn ogen er niet voor te sluiten om die beelden terug te roepen. Eerst dat vreselijke dat ik de pony aandeed, de daarop volgende opdracht om Karel dood te schieten... Nee, ik kon het niet en op dat moment, toen ik me radeloos op mijn hurken liet zakken, realiseerde ik me dat ik mijn leven voorgoed verwoest had. En toen kwam jij..." Koen slaakte een hoorbare zucht en nog eens, nu dromerig, herhaalde hij: „En toen kwam jij... Dáár denk ik ontzettend vaak aan terug. Op het beroerdste moment in mijn leven kwam jij, je was voor mij als een geschenk uit de hemel. Je rende niet gillend van angst bij me weg, je loodste me mee naar een bank in het park. Daarna bracht je mij bij Wout en Marjet en weer later zat ik tegenover Bart en Klaartje. Door geen van hen werd ik veroordeeld, in plaats daarvan kreeg ik alle denkbare hulp aangeboden. Maar de allereerste die mij te hulp schoot was jij, denk je dat ik dat ooit zal kunnen vergeten? En is het dan zo raar dat ik gaandeweg van je ben gaan houden...?"

„Dat... d...d...dat meen je niet...?" Louwina had er geen idee van hoe onthutst ze Koen aanstaarde, hij schonk haar een geruststellende blik die hij met woorden onderstreepte. „Je hoeft er niet van te schrikken, ik ben me ervan bewust dat het een liefde van één kant is. Dat heb ik maar te respecteren, ik beloof je dan ook dat ik het je geen moment moeilijk zal maken. Voor mezelf zal het er echter niet gemakkelijker op worden, want jij zult altijd in mijn gedachten zijn. Jij en Carmen, dat wondermooie, lieve meisje." Koen was zichtbaar aangeslagen. Dat straalde hij niet alleen uit, het was bovendien te horen aan zijn stem toen hij er schorrig achteraan zei: „Doe mij één plezier, Louwina, probeer je angst voor de mannen in het algemeen te overwinnen. Je moet ervan uitgaan dat er maar één van het soort Anton Schuitema rondloopt, en veel meer goede, betrouwbare mannen. Ik wil zo graag dat jij aan een van hen je hart verliest. Dan zul jij gelukkig zijn en heeft: Carmen tenminste wat zij nodig heeft: een vader."

„Ik begrijp niet dat jij dat bijna smekend aan me vraagt, terwijl je zelf van me houdt. En van Carmen, dat heb ik gezien en gehoord toen ze bij je op schoot zat. Hoe kun jij zo tegen me praten zonder jezelf geweld aan te doen...?"

Haast tergend langzaam hief Koen zijn hoofd op. Louwina zag glinsterende tranen in zijn ogen, het trillen van zijn mondhoeken. „Ja, ja, ik pijnig mezelf, maar dat doet er niet toe. Als je toch werkelijk van een vrouw houdt, zoals ik van jou, dan mag je toch alleen maar wensen dat zij gelukkig wordt? Ik moet tevreden zijn met dat, wat ik na die beroerde tijd terug mocht krijgen. Behulpzame mensen die vrienden werden, een goede baan, een eigen huisje... Maar het is daar soms zo koud zonder jou."

Nu sloeg Koen zijn handen voor zijn gezicht, aan het schokken van zijn schouders zag Louwina dat hij huilde. Zij werd op slag overspoeld door medelijden en dat schakelde haar nuchtere verstand uit en deed haar impulsief handelen. Ze stond op, snelde op hem toe en legde een arm om zijn voorovergebogen schouders. Met haar andere hand trok ze zijn gezicht tegen zich aan en troostte ze: „Stil maar, niet huilen. Je bent een kerel uit één stuk, dat heb je zelf bewezen. Wat jij tegen mij zei geldt ook voor jou: jij moet proberen mij te vergeten en bedenken dat jij de vrouw die jou echt gelukkig kan maken, nog moet zoeken. Gaat het nu weer, Koen...?"

Louwina liet hem los en ging weer rechtop staan, Koen mompelde binnensmonds: „Jij weet niet wat je zegt, niet wat je met me doet." Hierna stond hij abrupt op. „Ik moet even naar binnen, mijn gezicht heeft een plens koud water nodig."

Mensenlief, dacht Louwina toen ze alleen was gelaten, Koen houdt van me...! En niet alleen van mij, ook van Carmen. Zij zou met een vader als Koen dolgelukkig zijn, maar ik worstel nu met heel eigen gevoelens. Die ik niet kan benoemen, laat staan dat ik ze een plaats kan geven. Arme Koen... Arme Carmen?

Louwina verwachtte geen antwoord op de vragen die haar bestormden en aan Bart en Klaartje had ze vanwege de consternatie even helemaal niet gedacht. Ze schrok op uit haar gepeins toen zij opeens voor haar stonden. Haar eigen sores verdwenen als sneeuw voor de zon uit haar hoofd toen ze in één oogopslag zag dat hun gezichten vertrokken stonden, het verdrietige gezichtje van Martijn drukte ook voldoende voor Louwina uit om aan Bart te vragen: „Is je moeder er slechter aan toe dan het zich in eerste instantie liet aanzien?"

Bart ging erbij zitten, Klaartje volgde zijn voorbeeld, zij trok Martijn bij zich op schoot. Op het moment dat Bart Louwina antwoord gaf kwam Koen naar buiten. Hij had zich weer helemaal hersteld en ook hij voelde meteen aan dat Bart geen prettige boodschap moest overbrengen.

„Moe is overleden," zei Bart toonloos. Hierna zocht hij

Klaartjes blik. „Wil jij het vertellen, het valt mij zo moeilijk?”

Het ging Klaartje ook niet gemakkelijk af, maar voor Bart deed zij graag haar best. „In het begin leek het alsof er niets aan de hand was. Moe was dolblij toen ze ons zag, Martijn moest naast haar komen zitten. En net als anders knuffelde ze hem en stelde ze vragen waar Martijn uitgebreid op inging. Moe dronk een paar kopjes koffie, ze smulde zichtbaar van de appeltaart die erbij geserveerd werd. Niets aan de hand, we lachten en praten en ik weet nog dat ik op een gegeven moment dacht: ze heeft ons weer mooi voor de gek gehouden, de slimmerd. Ze heeft gedaan als had ze heimwee, ze wist dat wij die boodschap ernstig zouden opvatten en meteen naar haar toe zouden komen. Zo dacht ik en daar heb ik nu wel zo verschrikkelijk veel spijt van! Want het slaat nergens op, moe heeft in haar onderbewustzijn aangevoeld dat zij ons moest laten komen. Ik zat tegen moe te praten toen zij me opeens onderbrak en ze Bart met grote schrikogen aanzag. „Bart…? Wat gebeurt er nou met mij?” Het waren haar laatste woorden, vlak erna overleed ze…” Klaartje moest stoppen om haar ogen te deppen, en Martijn zei, zichtbaar onder de indruk: „Oma kreeg ineens helemaal een blauw gezicht, hè pap?”

Bart knikte bevestigend, tegen Koen en Louwina zei hij: „Het was vanzelfsprekend meteen een hele consternatie, de dokter was er in een mum van tijd en hij stelde vast dat moe een hersenbloeding had gehad. Om ons te troosten zei de goede man dat we blij mochten zijn dat ze er, mede gezien haar hoge leeftijd, aan was overleden. In het andere geval zou ze een hulpbehoevende stakker zijn geworden. Het waren goedbedoelde woorden die niets dan de waarheid bevatten. Ik kan me echter met geen mogelijkheid voorstellen dat ze er niet meer is. Dat ze er nooit meer zijn zal, mijn ouwe moedertje. Ik gaf ontzettend veel om haar en zij hield van mij. Dat hoefden we niet in woorden uitdrukken, we wisten het van elkaar…”

„Kan ik nu wel weer gewoon gaan spelen?" Martijn keek beurtelings van Bart naar Klaartje, zijn jongensgezichtje drukte tweestrijd uit. Bart zag het en haastte zich te zeggen: „Als jij zin hebt om te spelen, moet je dat zeker doen, kerel! Oma hield van jou, ze weet dat jij nog klein bent en dat je leven voornamelijk bestaat uit spelen. Oma zou het vreselijk vinden als jij in een hoekje weggedoken ging zitten treuren om haar. Doe dus maar waar je zin in hebt!"

„Dan ga ik op mijn kamer met mijn elektrische treintjes spelen en dan speel ik dat ik samen met oma een hele lange treinreis ga maken. Dat vindt oma vast wel leuk!"

En zo, zichzelf geruststellend, ging het ventje naar zijn kamer en Bart zei nadenkend: „Hij is dapper, die zoon van mij. Goedbeschouwd zouden wij een voorbeeld aan hem moeten nemen. Want hij gaf er op een kinderlijke manier mee aan dat ons leven doorgaat. Moe heeft een mooi en goed leven gehad, dat heeft ze zelf ik weet niet hoe vaak gezegd. Ze heeft gezond oud mogen worden, nu is ze liefdevol door God thuisgehaald. Daar twijfel ik niet aan, want moe heeft in haar leven geen misstap begaan. Ik zou dus blij moeten zijn voor haar, maar dat laat mijn verdriet om haar nog niet toe..."

„Ga je Wout en Marjet bellen om het droeve nieuws aan hen te vertellen?" vroeg Louwina. Over die vraag hoefde Bart geen moment na te denken. „Nee, dat doe ik zeker niet! Ik ken die twee en zie ze ervoor aan dat ze hun vakantie ervoor zouden afbreken. En dat mag in geen geval gebeuren, na alles wat Marjet heeft moeten doorstaan, heeft vooral zij deze voor haar onbezorgde tijd hard nodig. Dat ben je toch met me eens?" vroeg hij aan Klaartje.

Zij knikte instemmend en opperde: „Ik vind echter wel dat we Maureen ervan op de hoogte moeten stellen. We zijn in het verleden zo dikwijls met moe bij haar te gast geweest. Dan deed Maureen niet anders dan het oude mensje verwennen, Wiebe sloofde zich uit om voor moe haar lievelingskostjes op tafel te zetten en Claudia wist ook al niet hoe ze het moe meer dan naar de zin kon maken. Als jij hen belt, weet ik zeker dat ze op de begrafenis zullen komen en met hen erbij zullen wij Wout en Marjet dan hopelijk een beetje minder missen. Ben jij het nu met mij eens?"

„Je bent een schat! Ik had nog niet aan Maureen en de haren gedacht, jij gelukkig wel!"

Moe Brouwer bleef onderwerp van gesprek, maar dat kon ook immers niet anders. Het was al zes uur geweest toen Klaartje, Louwina mocht haar nu wel helpen, de laatste hand legde aan de Japanse kipschotel. Die geurde zo die eruitzag: verrukkelijk, toch konden Bart en Klaartje er niet van smullen. Dat Koen en Louwina eveneens met lange tanden zaten te kauwen kwam niet alléén vanwege het zo plotselinge overlijden van Barts moeder, Leny Brouwer.

✻ 11 ✻

Het was 1 september, de r zat alweer in de maand, maar met een temperatuur van net boven de twintig graden had het weer nog een volop zomers karakter.

Louwina had zich deze avond teruggetrokken in de voormalige zitkamer van oma Diny, het was de laatste tijd bijna een gewoonte geworden dat ze de eenzaamheid opzocht. Wout en Marjet dachten er het hunne van, maar om haar privacy niet te schenden lieten ze Louwina stil begaan.

Zij zat weggekropen in een hoekje van de bank te mijmeren over wat geweest was. Iedereen liep inmiddels weer in de tredmolen van alledag, de vakanties waren achter de rug. Wout en Marjet hadden hun verblijf in Disneyland als uitermate vermoeiend omschreven, Jorden en Marieke daarentegen hadden volop genoten. Ze hadden het nog bijna dagelijks over hun belevenissen in de sprookjeswereld waar ze Donald, Mickey, Goofy en noem maar op, in het echt hadden ontmoet. Gijs had het op zijn zeilkamp naar zijn zin gehad, hij had al voorspeld dat hij er volgend zomer weer naartoe wilde. Zelf keek ze nog vaak met voldoening terug op de tijd dat ze bij Bart en Klaartje logeerde. Ze hadden elkaar door en door leren kennen, ze had het ontroerend gevonden dat Bart zich zo verheugd had getoond toen zij in één keer slaagde voor het rij-examen. Siem had haar ook de hand gedrukt en in een onbewaakt ogenblik had hij haar toevertrouwd: „Ik ben waarschijnlijk minder lelijk dan ik zelf dacht, want Esther, een van mijn leerlingen, durft het met mij te proberen! Het is allemaal nog heel pril tussen ons, we houden het vooralsnog voor iedereen geheim. Zelfs onze ouders weten van niets, voor jou wilde ik het echter niet verborgen houden. Ik heb je leren kennen en weet dat je mij het geluk in de liefde gunt. Nu jij nog, Louwina!"

Ze vond het fijn voor Siem dat het geluk hem toelachte, maar het allerbelangrijkste was voor haar dat Marjet zich nog steeds goed voelde. Ze was nog sneller moe dan voorheen, maar verder ben ik weer helemaal de oude, placht ze opgeruimd te zeggen. Wout had echter een keer in vertrouwen tegen haar – Louwina – gezegd dat Marjet zich groter voordeed dan ze in werkelijkheid was. „Ze gaat nooit slapen voordat ze haar borsten grondig heeft afgetast. De angst dat de sluipende ziekte haar opnieuw kan overvallen heeft haar nog niet verlaten. Mij trouwens ook niet. Het enige wat we kunnen doen is bidden en dat doen we dan ook veelvuldig."

Wout en Marjet waren niet de enigen die om blijvend herstel baden, ze wist dat Bart en Klaartje, Maureen, Claudia en Wiebe ook dikwijls hun handen voor Marjet vouwden. En gelukkig, bedacht Louwina, kan ik hun voorbeeld volgen. Zonder remmingen nu, want die waren haar vreemd nu zij onvoorwaardelijk in Gods goedheid geloofde. En toch had ze zich opgelaten gevoeld tijdens de kerkdienst die destijds vooraf was gegaan aan de begrafenis van Barts moeder. Dat kwam doordat ze had geweten dat Koen een paar banken achter haar zat en ze zijn ogen in haar rug had gevoeld. „Ik zal het je niet moeilijk maken," had hij eens gezegd. Toen, in de kerk, had hij die woorden gestalte willen geven, vermoedde zij, en daarom was hij niet naast haar komen zitten. Daarna, op het kerkhof, had ze bedacht dat Koen, zonder het zelf te weten, het tegenovergestelde deed. Hij had het haar juist meer dan moeilijk gemaakt, ze had zich ongelukkig en hopeloos eenzaam gevoeld. Dat gevoel had haar beslopen door de tafereeltjes die ze met een schuin oogje om zich heen had gezien. Bart en Klaartje hadden vooraan bij het graf gestaan. En met Martijn beschermend dicht tussen hen in hadden ze uitgestraald hoe nauw ze met elkaar verbonden waren. Ze hadden Wout en Marjet gemist, Maureen, Claudia en Wiebe hadden ook dicht bij elkaar gestaan, hun handen hadden vast in elkaar gelegen. Ook toen was het door haar heen geflitst: ook die drie mensen horen bij elkaar, de een is er voor de ander. Zij had alleen gestaan en zich verloren gevoeld. Koen was ook toen niet naar haar toe gekomen, net als zij had hij op het kerkhof een beetje apart gestaan. Na afloop van de plechtigheid had hij haar heel even opgezocht. Hij had niet gevraagd hoe zij het maakte, maar waar Carmen was. Ze had hem gezegd zo het was, dat Jelmer en Annelies op Carmen pasten. „Ik kon haar niet meenemen, daar is ze nog te klein voor."

Er was een matte glimlach om Koens mond verschenen. „Dat is ook zo. Je kunt niet zorgzaam genoeg zijn voor zo'n klein vrouwtje in wording." Daarna was hij weer bij haar weggelopen en had zij moeite moeten doen om haar tranen te bedwingen. Wist ik dan toen al, vroeg Louwina zich af, dat ik zonder het te willen van hem ben gaan houden? In diep gepeins verzonken gaf ze zichzelf antwoord door bevestigend te knikken. Ze wist het nog precies, wanneer en waardoor haar verzet tegen de liefde gebroken werd. Dat was gebeurd toen Koen haar zijn liefde had verklaard en het hem op een gegeven moment te veel was geworden. Hij had toen geluidloos gehuild, zij had hem in een opwelling van medelijden spontaan getroost. Ze had zijn gezicht tegen zich aan getrokken en pas later, toen ze erover na had gedacht, was het met een schok tot haar doorgedrongen dat ze niet alleen hem, maar ook zichzelf iets had gegeven. Want toen ze Koens hoofd tegen zich aan had gevoeld was er een merkwaardige, warme tinteling door haar heen gegaan. Het was geweest als een stroomstootje dat haar wakker had geschud. Sindsdien verlangde ze naar Koen, een bepaalde gêne belette haar echter om hem dat te laten weten of zelfs maar te laten merken. Een vrouw hoorde immers niet op een man af te stappen, zij kon dat tenminste niet. Ze had voor Wout en Marjet verzwegen wat er tijdens hun vakantie tussen Koen en haar was gebeurd. Ze had het sterke vermoeden dat Koen hetzelfde had gedaan, want toen ze onlangs weer een keertje bij Bart en

Klaartje op bezoek was geweest, had Klaartje gezegd: „Ik snap niet wat er met Koen aan de hand is. Hij was bij ons kind aan huis, zoals dat heet, maar de laatste tijd zien we hem nauwelijks meer. Als ik hem bel om te vragen of hij bij ons komt eten, heeft hij altijd net iets anders te doen en áls hij zich een keer uit zichzelf bij ons vertoont, is hij niet meer dezelfde Koen van vroeger. Hij is stil en in zichzelf gekeerd, net alsof hij voortdurend over iets loopt te tobben. Het valt Bart ook op, hij durfde zelfs heel voorzichtig te veronderstellen dat Koen mogelijk een innerlijke strijd levert tegen opkomende verlangens om weer eens een gokje te wagen. Dat heb ik Bart erg kwalijk genomen, ik vind dat we in Koen moeten blijven geloven. Misschien moeten we hem bij gelegenheid gewoon eens op de man af vragen wat hem zo zichtbaar dwarszit," had Klaartje geopperd.

„Dat kan ik je wel zeggen," mompelde Louwina voor zich uit. Het voelt weer akelig koud aan in zijn huisje, terwijl hij juist warmte nodig heeft. Hij mist mij, Carmen misschien nog wel meer. Wist ik maar wat ik eraan kon doen, eraan moet doen, misschien...?

Ze kreeg geen antwoord op die vraag, op dat moment werd er wel een klopje op de deur van haar kamer gegeven en ging die tegelijkertijd open. Marjet stak haar hoofd om het hoekje. „Stoor ik of mag ik even binnenkomen?"

„Wat een vraag! Hoe zou jij mij kunnen storen!"

Marjet ging tegenover Louwina in een stoel zitten, ze viel met de deur in huis. „Wout en ik maken ons zorgen om jou, Louwina. Je bent de laatste tijd zo stil en naar onze smaak trek jij je te vaak terug in je eigen vertrekken. We hebben je een tijdje je gang laten gaan, maar ik kan het niet langer aanzien. Het lijkt me logisch dat wij ons verschillende dingen afvragen. We zijn bang dat jij het hier bij ons niet meer naar je zin hebt. Je zit opvallend vaak achter de computer, ben je al doende bezig jezelf bij te scholen voor een eventuele kantoorbaan?

Toe, lieverd, laten we alsjeblieft eerlijk tegen elkaar blijven, de toestand van tegenwoordig bevalt ons helemaal niet!"

Louwina kleurde tot in haar haarwortels. „Het spijt me, ik had er echt geen idee van dat ik mijn besognes op jullie overbracht. Wat betreft mijn bezigheden achter de computer, daar heb jij wel een beetje gelijk in. Net als vóór jouw ziekte denk ik nu ook weleens aan een baan buitenshuis. Met een goede hulp zou jij je zonder mij best weer kunnen redden. Maar dat is niet de werkelijke reden van mijn gedrag, waar ik me overigens niet van bewust was, maar dat jullie dus opviel..." Hier zweeg ze, Marjet durfde haar niet aan te sporen om verder te gaan. Dat deed Louwina op een gegeven moment uit eigen beweging. Ze sloeg haar ogen op naar Marjet en met een ernstig gezicht en een zachte stem zei ze: „Koen houdt van mij. Al een hele tijd. Ik ook van hem, maar dat weet hij niet." Hierna vertelde ze Marjet uitvoerig over wat er tussen haar en Koen was voorgevallen op de dag toen Bart en Klaartje door Anita werden opgeroepen om naar moe Brouwer te komen. Ze vertelde alles, zowat tot in de details en ze besloot het lange relaas met: „Toen Bart en Klaartje terugkwamen naar huis, was Barts moeder overleden. Natuurlijk hadden we met hen te doen, heel erg zelfs, maar tussen Koen en mij was opeens ook alles anders geworden. Ik durfde hem niet meer aan te kijken, 'k voelde me vreselijk opgelaten en wist niet wat ik nog tegen hem zou moeten zeggen. Op dat moment meende ik dat alles wat gezegd moest worden, gezegd was. Ik was immers duidelijk geweest, ik had Koen aangeraden mij te vergeten en dat hij op zoek moest gaan naar een vrouw die hem wel gelukkig zou kunnen maken. Toen stond ik vierkant achter die woorden, nu moet ik er niet aan denken dat hij mijn advies van toen zal opvolgen. Koen met een andere vrouw... Dat beeld is voor mij afschrikwekkend. Begrijp je nu, Marjet, waar ik aldoor mee bezig was?"

Marjet knikte van ja en zei bedachtzaam: „Alles is opeens klaar en duidelijk geworden! Nu begrijp ik het geklaag van Bart en Klaartje niet alleen, maar snap ik ook waarom wij Koen bijna niet meer te zien krijgen. Hij had jou beloofd dat hij het je niet moeilijk zou maken, daar hield hij zich aan, maar ondertussen vergat hij te bedenken dat hij ons verwaarloosde. En zelf kwam hij helemaal alleen te staan. Arme Koen, dit verdient hij toch werkelijk niet, hoor!"

„Dat ben ik met je eens, maar wat kan ik eraan doen...?"

„Jij bent de enige die er iets aan doen moet! Suffie, zie je dat dan echt niet in!?" Toen Louwina haar ietwat schaapachtig aanstaarde viel Marjet kregel uit. „Doe even normaal, zeg! Je bent toch warempel geen onmondig wicht, je bent een rijpe, volwassen vrouw en zo dien jij je nu ook te gedragen!"

„Bedoel je dat ik..." Verder kwam Louwina niet, want Marjet onderbrak haar. „Ja, dat bedoel ik precies, jij moet naar Koen gaan en wel zo snel mogelijk! Meid, waar ben je mee bezig!" vroeg Marjet zich verbaasd af. Haar stem kreeg een zachte klank toen ze zei: „We mogen niet vergeten dat het leven ons gegeven is. De bedoeling ervan is dat we er ten volle van genieten. Omdat het zomaar voorbij kan zijn. En dat hoeft lang niet altijd te gebeuren als je oud bent, zoals mijn moeder en die van Bart, het kan je ook treffen als je jong bent en nog midden in het leven staat. Ik weet toch waar ik het over heb? Ik heb tot dusverre geluk gehad, het was mijn tijd blijkbaar nog niet. Die komt als God het wil en dat geldt voor ons allemaal. Tot dan toe moet je gelukkig willen zijn en dat kun je louter en alleen zelf bewerkstelligen. Probeer mijn gepreek maar eens uit, treed Koen tegemoet, sla je armen om hem heen en je zult niet weten wat je overkomt! Liefde is het mooiste wat er is, Louwina! Net als elke sterveling kun jij het niet zonder stellen, en je mag het Koen niet onthouden. Meer wil ik er niet over zeggen, je moet het nu verder zelf uitzoeken. Ik ga weer naar beneden, ik neem aan dat ik het verhaal over jou en Koen aan Wout mag vertellen?"

„Ja... ja, vanzelfsprekend. Ik blijf hier, ik moet nadenken over wat jij allemaal zei. Het klonk zo logisch allemaal, zo heel natuurlijk."

Het drong niet tot Louwina door hoe zij zich hiermee blootgaf, Marjet had het echter meegekregen. En nadat zij Wout uitvoerig verslag had uitgebracht, besloot ze de uiteenzetting met een lachend, verheugd gezicht. „Wij hoeven ons nergens zorgen meer om te maken, want aan het eind van ons gesprek zag Louwina de logica van mijn betoog in. Ze zal nu vast niet lang meer aarzelend in haar doolhof ronddwalen. Dat betekent dat wij binnenkort mogen delen in het geluk van twee mensen die ons na aan het hart liggen."

Wout keek dromerig voor zich uit toen hij zei: „Louwina, mijn protégé, zal het geluk mogen omarmen. Dat overweldigende gun ik haar als geen ander, voor mezelf heeft het een bijzondere betekenis. Na dat vreselijke met het meisje Getta, kwam Louwina in mijn leven. Dat was geen toeval, ze werd naar me toe gestuurd omdat ik een herkansing te goed had. Zo zie ik het en God alleen weet hoe ik me voel nu ik het ditmaal wel tot een goed eind heb mogen brengen. In mij is nu enkel dankbaarheid, wist je, Marjet, hoe vredig stil die het diep in je kan maken?"

„Ik mocht weer gezond worden, denk je dat ik niet voel wat jij voelt?" fluisterde Marjet bewogen. Ze stak haar armen naar hem uit, Wout sprong op en drukte haar tegen zijn borst.

Twee mensen met een niet altijd even gemakkelijk verleden achter zich, op dit moment was het hun aan te zien dat ze door liefde waren gelouterd.

De eerstvolgende zaterdagmiddag tufte Louwina in de auto van Wout naar de stad. Vanwege het feit dat Carmen een veel te kort middagslaapje had gedaan was het kindje in het kinderzitje op de achterbank in slaap gevallen. Ze is druk doende de schade weer in te halen, dacht Louwina. Vervolgens bedacht ze dat het toch wel een heerlijk gevoel was om je rijbewijs in je zak te hebben. Anders had ze met de bus of met de trein gemoeten, nu kon ze straks bij Koen zowat voor de deur uitstappen. Ze wilde er niet over nadenken wat ze zo dadelijk zou doen of zeggen, ze liet het over zich heen komen. Dat betekende niet dat ze niet nerveus was, ze was er gewoon een beetje misselijk van. Net alsof er iets in haar maag zat wat er niet thuis hoorde. Marjet had van alle kanten gelijk gehad, de volgende dag had Wout ook nog eens op haar ingesproken. Aan het eind van zijn betoog had Wout gezegd: „Jij hoeft je tegenover Koen niet te schamen, je komt hem immers liefde brengen en dat is het mooiste cadeau dat een man zich wensen kan." Zo was het misschien wel, niettemin had zij het er moeilijk mee. In haar achterhoofd speelde het vervelende gevoel dat ze zich kwam aanbieden. Hier ben ik, wil je me nog? Die woorden zou ze zeker niet gebruiken, maar ze had er geen idee van wat ze dan wel zou zeggen als Koen op haar bellen de deur opendeed.

Zo bleef Louwina aan het gissen en dubben en al met al reed ze de stad binnen voordat ze er erg in had. Nu even goed opletten, voor geen prijs zou ze een deuk of erger in Wouts auto willen rijden. Het was al zo verschrikkelijk lief van hem dat hij aldoor zei: „Pak de auto maar, jij moet rijervaring opdoen!" Ze had inmiddels al heel wat ritjes gemaakt, ze was zelfs al een keer met Marjet, Marieke en Carmen naar Maureen geweest. Marjet had toen beslist gezegd: „Jij rijdt zowel heen als terug." Wout en Marjet, het waren gewoonweg schatten van mensen. Zo dadelijk zou zij voor haar schat staan... O, Koen, kom me een beetje tegemoet, want gemakkelijk is het niet.

Kort hierop liep Louwina met Carmen aan de hand

door het smalle steegje totdat ze stil bleef staan voor een miniatuur huisje. Ze trok verwonderd haar wenkbrauwen op toen er op haar bellen niet open werd gedaan. Hoe kan dit nou, vroeg ze zich af. Het is zaterdag, Koen kan dus niet naar zijn werk zijn, waar is hij dan wel? Nog eens drukte ze de bel in, daarna ging haar hand werktuiglijk naar de ouderwetse klink die Koen niet had willen vervangen omdat hij vond dat de klink perfect paste bij het oud aandoende huisje. De klink werd nu door Louwina naar beneden gedrukt en tot haar verrassing zwaaide de deur voor haar open. Even aarzelde ze, dan liep ze resoluut naar binnen. In de piepkleine huiskamer liet ze zich in de enige gemakkelijke stoel vallen die er stond en trok ze Carmen bij zich op schoot. Het kindje vond het blijkbaar allemaal maar niks. Het zenuwachtige gedoe van haar moeder oefende een nadelige invloed op haar uit, het huis was haar vreemd. Carmen wist haar ongenoegen niet anders te uiten dan door te gaan huilen. Eerst een beetje zielig, vervolgens zette ze het op een brullen. En wat Louwina ook probeerde, Carmen bleef blèren en vervelend doen. Op het moment dat Louwina haar bij een arm pakte en streng zei: „En nu is het afgelopen, hoor je me!" ging de deur open. Koen bleef stokstijf staan, het was hem aan te zien dat hij zijn ogen niet durfde te geloven, en zijn stem leek het te zullen begeven toen hij moeizaam uitbracht: „Wat is dit… Wat kom jij doen en waarom is je kleine meid zo van streek?"

Het antwoord op die vraag borrelde spontaan in Louwina op. „Mijn dochter doet de hele tijd niets dan huilen. Ze mist een lieve pappa in haar leventje en dat had ik de hele tijd niet in de gaten… Ik ben gekomen om te vragen of jij dat grote gemis alsnog wilt goedmaken. Als je tenminste nog van mij houdt, want je zult mij er bij moeten nemen. Koen…?" Ze fluisterde zacht zijn naam toen hij niet reageerde, maar haar met open mond aanstaarde. Een moment nog hield hij haar vragende blik vast, dan leek hij zich te ontladen. „Ach, meisje toch…

meisjes, moet ik zeggen. Mijn meisjes..." Koen zette zijn voeten in beweging, Louwina was daarnet al opgestaan en nu sloot Koen haar en Carmen vast in zijn armen. Hij streelde en kuste hen beurtelings en regelrecht vanuit zijn vol hart zei hij aangedaan: „Ik kan het nog niet bevatten. Dat ik jullie allebei opeens bij me heb... Droom ik echt niet?"

„Voel maar, proef maar." Louwina kuste hem hartstochtelijk en ongeremd nu zei ze: „Ik hou van je, Koen. Eerlijk en oprecht."

„Ja, meisje van me, ik zie het, ik voel het." Hij nam Carmen van Louwina over en praatte verder tegen haar. „En jij, kleine schat, je huilt niet meer! Je lacht zo lief naar me, zeg dan nog eens pappa, net als toen?"

Het was alsof het kindje een spel speelde waarmee ze de grote man die haar kuste en kietelde, wilde plagen. Want in plaats van dat ze aan zijn vraag voldeed, zei ze met twinkelende oogjes: „Mamma!"

„Dat is Carmen ten voeten uit!" zei Louwina. „Zo klein als ze nog maar is, zo dwars kan ze al tegen van alles en nog wat ingaan. Toe, schatje, zeg dan pappa?" probeerde Louwina het nog eens. Nu drukte Carmen allebei haar knuistjes tegen haar oogjes en met haar weelderige krullenbol schudde ze beslist van nee. Louwina haalde haar schouders op, Koen zette Carmen op de grond en vervolgens trok hij Louwina opnieuw tegen zich aan. „Nooit, nooit van je leven zul jij kunnen beseffen hoe gelukkig jij me maakte op de dag dat ik het allemaal niet meer zo zag zitten." Nadat ze elkaar weer gezoend hadden moest Louwina weten: „Had je een baaldag? En waarom deed je eigenlijk niet open toen ik aanbelde?"

„Dat was de reden van mijn rotdag." Ze waren tegenover elkaar op een rechte stoel van de eethoek gaan zitten, Carmen was in de enige gemakkelijke stoel geklauterd. Ze had het druk met haar pop die Louwina voor haar had meegenomen en die ze uitkleedde. Want pop moest 'saapje doen'.

Nadat Louwina en Koen Carmens bezigheden eventjes hadden gevolgd, ging Koen verder waar hij gebleven was. „Ik kon de bel niet horen, want ik lag op de zolder, aangekleed en wel op bed. Met de koptelefoon op lag ik naar loeiharde muziek te luisteren. Ik hoopte de muizenissen ermee uit mijn hoofd te verdrijven, maar dat lukte van geen kanten. Ik bleef een pestbui houden, mijn zelfmedelijden groeide en groeide. Ik zag het gewoon niet meer zitten, mijn leven werd almaar saaier. Eenzamer vooral. Ik vroeg me af of het dan altijd zo zou moeten doorgaan, en op dat moment had ik alleen nog maar zin om een potje te gaan janken. En toen kwam jij... Net zoals dat als eens eerder was gebeurd." Koen moest zijn emoties eventjes de baas worden voordat hij verder kon gaan. „Toen de harde muziek me alleen maar hoofdpijn bezorgde zette ik de koptelefoon af, vervolgens wist ik niet wat ik hoorde. Een huilende kinderstem in mijn huis...? Ik ging naar beneden en vervolgens kon ik mijn ogen niet geloven. Ik kan trouwens nog niet bevatten dat jij van mij houdt! Hoe kwam die ommekeer dan in jou tot stand?"

Louwina vertelde over die keer, toen zij hem getroost had en ze een warme tinteling in zichzelf had gevoeld. „Die heeft mij over de streep getrokken, maar niet op dat moment. Veel later pas ging ik inzien wat het met me gedaan had. Toen verlangde ik naar jou, maar dat kon ik alleen aan mezelf bekennen, aan niemand anders. Zeker niet aan jou! Het was echt een nare tijd, hoor Koen, die achter me ligt!"

„Ik weet er alles van, ik leefde net zomin in een jubelstemming. Ik deed mijn werk naar behoren, verder deed ik niet veel meer dan mezelf beklagen. En ik kon geen enkele poging ondernemen om daar verandering in te brengen, want ik wist niet beter dan dat jij alleen met Carmen wilde verder gaan. Dom meisje, waarom ben je niet eerder naar me toe gekomen?"

„Ik weet welhaast zeker dat ik hier nog niet zou zijn

geweest als Marjet geen hartig woordje met me gesproken had. Wout deed er naderhand nog een schepje bovenop. Feitelijk heb jij het aan hen te danken dat ik nu bij je ben! Ben jij je er overigens van bewust dat je zowel Wout en Marjet als Bart en Klaartje hebt verwaarloosd? Ze hebben je gemist, waarom liet je hen eigenlijk zo in de steek?"

„Moet je dat nog vragen? Ieder gezond denkend mens kan toch wel nagaan dat ik als de dood zo bang was dat ik jou bij een van hen tegen het lijf zou lopen! Ik had jou beloofd dat ik het je niet moeilijk zou maken, maar moest ik mezelf dan wel geweld aandoen? Tijdens de begrafenis van Barts moeder had ik het echt al zwaar genoeg, hoor! Jij was aldoor zo heel dichtbij, maar ik mocht je met geen vinger aanraken terwijl heel mijn wezen daar behoefte aan had. Maar nu is alles opeens ten goede gekeerd! Je bent bij me gekomen en reken maar dat ik jullie nu niet meer laat gaan!"

Louwina vond dat ze hem nu toch even uit de droom moest helpen. „Ik zal straks toch echt weer moeten opstappen. Ik heb Carmen vanmiddag uit haar slaap wakker gemaakt, daardoor zal ze vanavond extra vroeg naar haar bedje verlangen!"

„Dat kun je niet menen, dat je van plan bent weer weg te gaan..." Koen wierp haar een afkeurende blik toe, maar Louwina lachte. „Kom Koen, wakker worden! In dit 'Madurodam-huisje' van jou is voor Carmen en mij immers geen plaats! Bovendien wil ik graag dat we kalm van start gaan, ik wil de dingen niet overhaasten. Kun je daar een beetje begrip voor opbrengen...?"

Hij boog zich over de tafel en trok haar gezicht naar zich toe. En nadat hij haar een warme zoen had gegeven, gaf hij haar gelijk. „Jij bent de verstandigste van ons beiden. Ik realiseer me nu ook dat er nog heel wat te regelen valt voordat wij werkelijk samen verder kunnen gaan. We hebben grotere woonruimte nodig, dus zal ik dit huisje moeten verkopen. Ik heb het destijds voor een prikje in handen gekregen, met een beetje geluk zal ik het met winst kunnen verkopen. Daar kunnen we dan de nodige spullen van aanschaffen. Een bed, meubels en wat we nog meer nodig zullen hebben. Ik heb gelukkig geen schulden meer, inmiddels heb ik weer wat spaargeld achter de hand. Ik heb een goed loon, waar we geen gekke bokkensprongen van zullen kunnen maken, maar waar we ons wel van kunnen redden. Dat komt wel goed! Ik zie geen wolken meer aan de horizon, enkel stralend licht!"

Ondanks Koens optimisme kreeg Louwina het gevoel dat hij zich toch een beetje zorgen zat te maken. Ze ondernam een poging om die voor hem weg te nemen. „We hoeven niet per se weer een huis te kopen, huren kan net zo goed. Volgens mij zijn we dan maandelijks voordeliger uit. En ik ga dan sowieso een kantoorbaantje zoeken, dat scheelt ook alweer. Toch?"

Koen trok een bedenkelijk gezicht. „Als ik ergens een hekel aan heb, dan is het aan mensen die hun kind naar een crèche of iets dergelijks brengen omdat zij hun handen vrij willen hebben om geld te verdienen. Dat moet eenieder voor zich weten, het stuit mij echter vreselijk tegen de borst. Ik zou het dan ook van harte toejuichen als jij besloot dat je gewoon bij Carmen thuisbleef. En bij haar broertje of zusje, die er wat mij betreft heel gauw zal komen!"

„Meen je dat, Koen? Verlang jij naar een kindje van jezelf?"

„Dat lijkt mij niet meer dan natuurlijk nu ik de juiste vrouw gevonden heb. Ik hoop alleen dat jij niet één seconde bang zult zijn dat ik er meer van zal gaan houden dan van Carmen! Want dat is voor mij absoluut onmogelijk!"

„Je bent een schat," zei Louwina even zacht als warm. Hierna verzuchtte ze: „Waarom zag ik dat niet eerder in en liet ik kostbare tijd verloren gaan?"

Koen zond haar een veelzeggende blik. „Anton

Schuitema, zou hij daar iets mee van doen kunnen hebben?"

„Je hebt gelijk," beaamde Louwina. „Nu ik van jou houd, besef ik pas dat ik nooit van Anton gehouden heb. In het begin keek ik huizenhoog tegen hem op, ik vond het spannend dat hij veel ouder was dan ik. In de onnozelheid van toen vond ik hem een man van de wereld. Hij had zich toen nog niet als een tiran ontpopt en was nog geen crimineel. Dat kwam later en vanwege zijn manier van doen praatte ik mezelf aan dat er in elke man een slechterik verscholen kan zitten. Louter daardoor verzette ik me tegen de liefde en nu, bij jou, voel ik me opeens veilig en geborgen. Dat is voor mij een ongekend, gelukkig gevoel. Ik ben blij, Koen, dat ik naar je toe gekomen ben…!"

Kus, kus, jawel, maar na de tijd van komen brak toch heus die van gaan aan. Dat gaf Carmen te kennen, ze werd hangerig en huilerig, uiteindelijk gewoon oervervelend.

Vanwege het oververmoeide kindje zag Koen nu ook in dat Louwina op moest stappen. Bij het afscheid nemen vroeg hij verlangend: „Kom je morgen weer?"

Louwina aarzelde. „Jij zou anders ook naar Wout en Marjet kunnen komen. Ik weet dat ze het op prijs zouden stellen!"

„Ik wil alleen zijn met jou," kwam het drammerig.

Louwina glimlachte erom, vervolgens trok ze partij voor haar kind en gaf ze Koen nu resoluut een afscheidskus.

Hij bracht Louwina en Carmen naar de auto en toen hij die nakeek tot hij uit zijn gezichtsveld was verdwenen, was er een gesmoorde stem in hem: ze houdt van mij, die vrouw, dat kind… Het is meer dan ik verdiend heb.

✽ 12 ✽

De tijd staat nooit stil, september en oktober hadden elkaar verdrongen, vervolgens had november haar plaats ingenomen. Koen en Louwina waren inmiddels zo zeker van elkaar dat ze al een trouwdatum hadden geprikt. Veertien januari van het komende jaar, ze waren erop voorbereid dat de maanden die tussen nu en dan lagen voor hen extra lang zouden gaan duren.

Omdat iedereen zich gelukkig toonde met hun geluk, had Koen in een overmoedige bui bedacht dat hij zijn vader en stiefmoeder ook van het grote nieuws op de hoogte hoorde te stellen. Een poosje geleden, Louwina en Carmen waren bij hem geweest, had hij op een zaterdagmiddag de telefoon gegrepen en gedaan wat hij niet laten kon. Zijn vader, Jan-Willem de Roos, had opgenomen. „Ja, pa... je spreekt met mij, Koen. Ik heb de vrouw van mijn dromen gevonden en vind dat jullie dat moeten weten." Hierna had Koen vol trots verteld over Louwina en over haar parmantige dochter, Carmen. Toen hij uitverteld was, was het even stil gebleven aan de andere kant van de lijn. Er had een besmuikt lachje in zijn vaders stem gelegen toen hij had gezegd: „Zo, zo, jij weet ze behoorlijk bruin te bakken, ik kan niet anders zeggen! Eerst verknal jij ons leven en dat van jezelf aan de goktafels, nu verslinger jij je aan een alleenstaande vrouw met een kind! Dat soort vrouwen kun je doorgaans niet het neusje van de zalm noemen, maar ja, wie ben jij zelf, nietwaar! Soort zoekt soort, wordt er beweerd en dat dat geen loos gebla-bla is, zie je nu maar weer. Wat kan ik er nog meer van zeggen?"

„Je zou ons misschien geluk kunnen wensen...?" De emoties van teleurstelling hadden Koens stem zwaar doen klinken. „Natuurlijk gun ik je het geluk. Maar bij jou is dat water naar de zee dragen, het haalt immers niets uit. Want wat je hebt verworven vergooi jij vroeg of laat toch weer. Dat heb je maar al te duidelijk bewezen!"

„Wist je, pa, dat een mens enorm veel kan leren van eenmaal gemaakte fouten...? Laat ook maar, het doet er niet meer toe. Jij gelooft niet meer in me en dat heb ik inderdaad aan mezelf te danken. Ik vraag me nu wel af of ik jullie een uitnodiging moet sturen voor ons huwelijk...?"

„Och, die kun je altijd versturen, daar is niks op tegen. Wij zien dan wel of we zin of tijd hebben om te komen. Jij ziet ons verschijnen of niet. In dat laatste geval zal ik ervoor zorgen dat er van tevoren een envelop met inhoud in je brievenbus valt. Daar is echter wel een eis aan verbonden: je mag er geen cent van vergokken. Hoor je dat goed, Koen?"

Ja, Koen had elk woord van zijn vader verstaan, ze waren als mokerslagen op zijn ziel terechtgekomen. In plaats van op de laatste, gebiedende vraag antwoord te geven, had Koen de hoorn op het toestel gelegd. Hij had zich laten troosten door een klein meisje dat op zijn schoot was gekropen en met een puntig vingertje in een verloren traan had geprikt die over zijn wang was gerold. „Doette au...? Kusje!"

Ontroerd had Koen een nattig kusje in ontvangst genomen, en tegen Louwina had hij gesmoord gezegd: „Ik zag dat jij meeluisterde en het ergste van alles vind ik dat jij zodoende moest horen wat pa over jou zei. Dat doet mij meer dan ik kan zeggen, het is zo min, zo laag bij de grond, om een ander bewust te kwetsen..."

Louwina had laconiek haar schouders opgehaald. „Ik ken hem niet persoonlijk, jouw pa, niettemin durf ik te beweren dat hij een domme man is. Zo iemand hoort zelf niet wat hij eruit kraamt, hoe zou je het hem dan kwalijk kunnen nemen? Hij is een eenling in zijn veronderstelling, ieder weldenkend mens zal vrouwen in mijn situatie niet eens kunnen veroordelen. Ik vind het alleen maar heel erg wat je vader over jou zei. Dat was echt ongenadig hard, maar trek je het alsjeblieft niet al te zeer aan, Koen. Want ook hier blijkt dat alleen een dom mens op een dergelijke manier kan reageren. Een liefhebbende vader zou zoiets gemeens over zijn zoon niet eens kunnen bedenken!"

Koen was het met Louwina eens geweest, zijn visie op de toedracht was de enige juiste: „Mijn vader en zijn tweede vrouw hebben enkel oog en hart voor elkaar. Zij heeft haar dochters niet meer nodig, hij zijn zoon niet. Ik zal me voortaan niet meer melden, dat wordt alleen maar als hinderlijk en storend beschouwd. Ik zal hun dan ook zeker geen uitnodiging sturen en mocht er onverhoopt toch een envelop van hen in de bus vallen, dan gaat die ongeopend retour. Ik heb er verder vrede mee, maar dat pa mij nog steeds zo hardnekkig als gokverslaafd blijft zien doet gemeen zeer..."

Koen voelde zich niet alleen hevig teleurgesteld in zijn vader, de verkoop van zijn huisje viel hem eveneens tegen. Hij had het in handen van een makelaar gegeven, en er waren inmiddels genoeg kijkers geweest, echter geen kopers. En zolang hij het niet verkocht had durfde hij geen grotere huurwoning aan te vragen. Het was niet alleen zijn makelaar, iedereen wees hem erop dat de vraagprijs te hoog was, dat hij er absoluut iets op moest laten vallen. Daar wilde Koen echter niets van weten, hij was er voor zichzelf van overtuigd dat hij winst op het huisje kon maken. Het is gewoon een kwestie van geduld, placht hij te zeggen. Hij vond dat hij de winst op het huisje nodig had. Een groter huis zou hoe dan ook moeten worden ingericht, een tweedehands autootje lokte hem ook. Niet voor zichzelf, louter voor Louwina. Want als zij straks bij hem in de stad woonde, zou zij erin kunnen stappen om bezoekjes af te leggen aan Wout en Marjet, Bart en Klaartje. Zijn toekomstige vrouw, als het in zijn vermogen lag, mocht het haar bij hem aan niets ontbreken. Kwam er maar een koper voor het huisje, waarom liet die zo tergend lang op zich wachten!

De anderen leefden met Koen mee wat betrof de moeizame verkoop van zijn huisje, behalve Marjet. Dat het bijna onverkoopbaar leek vervulde haar met hoop en daar wist Wout alles van, want Marjet had hem betrokken bij de plannen die zij had gemaakt.

Deze zaterdagochtend, voordat ze moesten opstaan, kroop zij nog eventjes tegen Wout aan en met zijn armen om haar heen zei ze: „In de loop van de ochtend zal Koen weer als gewoonlijk naar ons toe komen en tot zondagavond blijven. Dat is geen punt, hij hoort er helemaal bij, maar ik vind dat wij geen stommetje kunnen blijven spelen. Wij weten wat we willen, maar zolang wij Koen en Louwina er niet in betrekken komen we geen stap verder. En dat terwijl voor ons de tijd dringt, want vandaag of morgen kan er zomaar iemand opduiken die voor Koens huisje valt en de prijs ervoor overheeft. En dan zijn wij verder van huis, dan zullen mijn plannen in het water vallen. Dat zou voor mij echt heel erg zijn, hoor Wout!"

Hij trok haar nog vaster in zijn armen, er lag een lachje in zijn stem. „Jij houdt zoveel van Carmen dat je bij tijd en wijle vergeet te bedenken dat jij niet haar moeder bent! Koste wat kost wil jij het kindje bij je houden, en je kunt Louwina net zomin missen. Maar je weet dat ik je plannen toejuich, dat ik er pal achter sta. Voor mij is er ook eigenbelang mee gemoeid, moet ik bekennen. Het zou voor mij ook alleen maar bijzonder prettig zijn als ik dagelijks kon zien hoe gelukkig mijn vroegere beschermelingetje uiteindelijk geworden is. We zullen vandaag samen ons best doen om een wens in vervulling te laten gaan, maar nu moet ik eruit! Blijf jij nog maar even liggen dromen over hoe het er in de toekomst hopelijk voor ons zal gaan uitzien."

Wout voegde de daad bij het woord en verdween in de badkamer, Marjet ging op haar rug liggen en starend naar de balken zoldering boven haar, dacht ze stil: ik heb je niet alles verteld, lieve schat. Dat ik mezelf misschien wel te vaak bang zit te maken is mijn eigen schuld, ik mag jou er niet mee belasten. Zij kende Wout als geen ander, ze wist dat hij haar boven alles liefhad. Ze zou werkelijk te zwaar wegende zorgen op zijn schouders leggen als ze hem zei dat ze zich soms weer zo vreemd moe voelde. Het kon weken, zelfs maanden goed gaan, maar daarna brak er steevast weer een periode aan dat zij zich door de dagen heen moest slepen. Een raar aanvoelende vermoeidheid die, gek genoeg, ook altijd weer vanzelf overging. Dan was ze er lichamelijk weer helemaal, geestelijk bleef ze er echter mee bezig. Wat betekende die telkens terugkerende vermoeidheid, was het een voorbode die haar verwees naar de ellendige tijd die ze achter de rug had? Hoewel ze bij elke controle in het ziekenhuis een positieve uitslag kreeg, bleef die angst haar toch parten spelen. Stel dat... Jawel, en daarom nu juist was het haar plicht om voor Wout de nodige voorzorgsmaatregelen te treffen. Als God besliste dat er aan haar aardse leven een eind moest komen, mocht Wout niet alleen met de kinderen in dit grote huis achterblijven. Dan had hij hulp, steun en troost nodig van mensen die hem dierbaar waren. Op wie hij onvoorwaarlijk kon vertrouwen omdat ze om hem gaven. Daarom alleen, moesten Koen en Louwina ja zeggen op de vraag die zij vandaag aan hen ging stellen.

Louwina had Marjet die dag meerdere malen heimelijk geobserveerd, en 's avonds kon ze zich niet langer inhouden en vroeg ze Marjet op de man af: „Ik mag het me hebben verbeeld, maar ik vond dat jij je de hele dag anders dan anders gedroeg. Als ik je iets vertelde, luisterde je maar met een half oor, je had zelfs minder aandacht voor de kinderen! Als er iets is voorgevallen waar ik zonder het zelf te weten schuld aan heb, moet je dat gewoon recht in mijn gezicht zeggen, hoor, Marjet!"

Marjet wisselde een snelle blik van verstandhouding met Wout, en tegen Louwina zei ze: „Ik loop de laatste tijd een beetje te tobben en me zorgen te maken en ja... daar hebben Koen en jij alles mee van doen. Vanochtend heb ik besloten er vandaag mee voor de dag te komen, ik heb er expres mee gewacht totdat ook Gijs en Jorden naar bed waren. Nu kunnen wij er onderling rustig over praten. Begrijp je?"

Louwina meende al genoeg te weten. „Nou en of! Jij bent bang dat je het straks zonder mij niet aan kunt en dat is ook zo! Dit huis is voor één vrouw gewoonweg te groot om het netjes te onderhouden, maar daar heb ik al een oplossing voor gevonden! Toen ik van de week op een middag bij Annelies was heb ik er met haar over gesproken. Als ik straks met Koen in de stad woon, wil Annelies je met alle plezier komen helpen! Ze noemde het voor haarzelf een uitkomst, ze zei letterlijk: 'Eerlijk gezegd denk ik er vaak over om een dergelijk baantje aan te nemen. Wij hebben de dingen weer aardig op de rails. We kunnen weer sparen van Jelmers loon, zijn vakantiegeld hoeven we nergens anders meer voor te gebruiken dan voor onze tweede reis naar Turkije. Daar verheugen we ons op, daar doen we alles voor. Als ik er wat bij kon verdienen, ging het echter wat vlugger. De eerstvolgende keer zullen we bezakt en bepakt bij hem aankomen, want Clemens moet hoog nodig nieuwe kleren hebben. Dus, als Marjet mij nodig heeft hoeft ze me maar te roepen!' „Dat zei Annelies," zei Louwina triomfantelijk, „jij hoeft je dus helemaal geen zorgen te maken, want die zijn er domweg niet!"

„Het is lief van Annelies, maar haar heb ik niet echt nodig," zei Marjet. „Waar ik mee zit heeft niet te maken met het schoonhouden van het huis, maar met de gezelligheid ervan. Ik kan jou en Carmen gewoon niet meer missen en na jullie huwelijk willen Wout en ik Koen ook dolgraag van harte welkom heten in ons huis."

Toen zowel Louwina als Koen Marjet niet-begrijpend aanstaarde, verduidelijkte Wout: „Het is allemaal heel simpel, wij willen niets anders dan dat jullie dit huis in de nabije toekomst met ons delen. Louwina heeft nu al haar eigen vertrekken met alle comfort van dien, ze zijn ruim en groot genoeg voor jou, Koen, om er na je huwelijk bij in te trekken. Waarom zouden jullie op zoek moeten naar een huurhuis als er een fraaie verdieping, ingericht en wel, voor je klaarstaat!" Wout keek afwachtend van Louwina naar Koen, en die trok zijn schouders hoog op.

„Ik sta perplex, 'k weet niet wat ik erop zeggen moet. En Louwina is er niet veel beter aan toe, zie ik."

„Dat begrijp ik dan niet van jou, Louwina," zei Marjet verongelijkt. „Kijk dan eens naar Maureen, Claudia en Wiebe! Toen zij destijds in het huwelijksbootje stapten en Maureen aanbood dat ze bij haar mochten komen inwonen, hoefden zij daar nauwelijks over na te denken. Net als jij bij ons, hebben Claudia en Wiebe bij Maureen hun eigen vertrekken met de nodige privacy. Het gaat geweldig, ze zouden alle drie niet anders meer willen. Wij staan nu met elkaar voor eenzelfde situatie als zij toentertijd, waarom zouden wij hun goede voorbeeld dan niet gewoon volgen?"

Wout vond dat de koe domweg bij de horens gevat moest worden, daarom adviseerde hij Koen: „Druk de vraagprijs voor je huisje maar een stuk omlaag, dan ben je er binnen de kortste keren vanaf! Je hoeft er helemaal niet dik aan te verdienen, er moet eigenlijk wel een auto van overblijven, want in verband met je werk zul jij in de toekomst dagelijks op en neer van het dorp naar de stad moeten. Als jij dat voor Louwina overhebt, maak jij van mij een gelukkig mens."

Koen taxeerde Wouts gezicht. „Hoe bedoel je dat precies?"

Wout glimlachte. „Als Louwina een poos teruggaat in de tijd zal zij begrijpen wat ik bedoel, als ik tegen jou zeg dat zij eens heel bewust op mijn pad werd gebracht. Omdat zij bescherming nodig had en ik een herkansing kreeg die ik ditmaal wel tot een goed einde moest brengen. Weet je het nog?" vroeg hij aan Louwina. Zij knikte ontroerd van ja, en Wout praatte door. „Nu jij borg staat voor haar geluk zit mijn taak erop. Maar moet dat dan automatisch betekenen dat jij haar bij ons weg komt plukken terwijl wij haar en haar kleine meid niet kunnen missen?"

Koen dacht aan het telefoongesprek met zijn pa en zichtbaar onder de indruk zei hij: „Jullie houden van haar... Zonder voorwaarden, zonder omkijken, gewoon om wie zij is. Zo eenvoudig kan het dus ook."

Marjets stem leek van ver te komen. „Ware liefde vraagt niet, maar geeft." Geen van hen wist dat zij hiermee aan Wout dacht die zij uit pure liefde iets probeerde te geven voor zijn toekomst. Die wens lag ook besloten in de vraag die ze Louwina stelde. „Zeg ja tegen ons, lieverd. Alsjeblieft?"

Net als Koen wist Louwina zich met de situatie nog niet goed raad. „Jullie overvallen ons er zo onverwacht mee. Het is ontzettend lief bedoeld van jullie, dat voorop gesteld, maar... Nou ja, het ontroert me meer dan ik zeggen kan dat jullie zoveel om me geven. Ware liefde vraagt niet, maar geeft, zei Marjet, hebben jullie eigenlijk wel in de gaten dat jullie niet anders doen dan geven? En je vindt het nog heel gewoon ook, maar dat is het niet! Het is juist heel bijzonder! Wat verwachten jullie nu van ons, moeten we meteen antwoord geven op je vraag?"

„Met een positieve reactie zou ik straks misschien wat rustiger kunnen gaan slapen." Marjet had zelf niet in de gaten dat haar ogen vochtig werden en dat haar stem een beetje trilde.

Het vleugje stil verdriet dat Marjet onbewust om zich heen had ontging de andere drie niet, en Louwina snelde op haar toe. Ze schoof dicht naast Marjet op de bank, sloeg haar armen om haar heen en zacht zei ze: „Hoe zou ik nee tegen jou kunnen zeggen? Ik wil zelf niets liever dan bij je blijven. De warmte van dit huis zou ik elders missen, en dan heb ik het nog niet eens over wat jij me persoonlijk geeft. Je bent veel meer dan een vriendin voor me geworden, je bent als een ouder zusje voor me.

Dank je wel, Marjet, Wout... voor alles."

Marjet deed haar best om haar emoties weer onder controle te krijgen, Wout wees Louwina op Koen. „Jij nam louter een beslissing voor jezelf, maar je aanstaande man heeft ook een stem, hoor!"

„O, maar dat weet ik en daar houd ik ook wel degelijk rekening mee! Het is alleen zo, dat als het er voor mij op aankomt, Koen mij in alles mijn zin geeft. Dat doet hij zeker in dit geval! Ja toch, Koen...?"

Hoewel hij bevestigend knikte, wekte hij de indruk in gedachten te zijn. Want zo praatte hij voor zich uit: „Hoe kort is het nog maar geleden dat ik een zwerver was. De hemel was als een dak boven mijn hoofd, verder had ik niets of niemand. En nu heb ik al het goede dat een mens zich wensen kan; een vrouw, een kind, ware vrienden die mij hun warme genegenheid openlijk tonen..." Hij slaakte een diepe zucht en vervolgens ging zijn ontroerde blik beurtelings van Marjet naar Wout. „Ik zou geen hart in mijn lijf hebben als ik Louwina en Carmen bij jullie vandaan haalde. Ik zou hen er tekort mee doen, maar ook mezelf. Het is immers nergens beter wonen dan in dit huis dat bol staat van licht en warmte. Was het maar zover, dat ik Louwina niet meer mijn toekomstige vrouw hoefde te noemen, mijn ongeduld is nu opeens groter dan ooit tevoren."

Koens ongeduld werd destijds op de proef gesteld, inmiddels waren hij en Louwina alweer bijna drie maanden man en vrouw. Hun kindje, dat mooie meisje, heette sindsdien voluit Carmen de Roos. Zij was zich niet bewust van haar naamsverandering en dat ze nu niet alleen een mamma, maar ook een pappa had, leek voor haar vanzelfsprekend, want het kostte haar geen enkele moeite pappa tegen Koen te zeggen. In het begin had het Koen ontroerd, nu was hij er niet alleen aan gewend geraakt, maar voelde hij zich haar vader.

Als hij daarbij stilstond, dwaalden zijn gedachten

onwillekeurig nog weleens naar zijn eigen pa, die na dat ene telefoontje niets meer van zich had laten horen. Er was – gelukkig! – geen envelop met inhoud bezorgd, op zijn trouwdag hadden zowel Jan Willem de Roos als zijn vrouw, Toos Kingma, door afwezigheid geschitterd. Toch waren ze op de hoogte geweest van dag en datum, want enkele dagen nadat Koen toentertijd zijn pa had gebeld, had Klaartje een telefoontje van haar moeder gekregen. Toos' belangstelling was geveinsd geweest, dat had Klaartje onmiddellijk aangevoeld. Ze was enkel nieuwsgierig geweest. „Jan-Willem zit stikvol vragen over de vrouw met wie Koen zei te willen trouwen. Ik bedacht dat ik jou zou kunnen bellen, want jij weet vast wel wat voor iemand zij is? Je zult kunnen begrijpen dat wij er niet blij mee zijn, we kunnen immers wel nagaan dat zij uit dezelfde wereld van verslaafden komt als Koen. Is zijn toekomstige vrouw, net als Koen, gokverslaafd, of zoekt zij het in de drugs? Dat kan dan een mooie boel worden, we beklagen het arme kind dat zij heeft. Vertel eens, Klaartje, hoe het een en ander in elkaar steekt?"

Klaartje wist niet meer wat ze allemaal had gezegd, wel dat zij de trouwdatum had genoemd. En ook dat zij veel had moeten wegslikken voordat ze had kunnen zeggen: „Koen, mijn stiefbroer, is een vent uit één stuk! Hij heeft een goede baan, hij krijgt een schat van een vrouw op wie niets aan te merken valt. Haar dochtertje krijgt de liefste pappa die zij zich wensen kan. Zeg dát maar aan Jan-Willem."

„Waarom doe je zo kattig tegen me?"

„Omdat ik het niet kan uitstaan dat jij en Koens vader je zo liefdeloos gedragen. Jij hebt twee dochters, hij een zoon, maar jullie willen met ons niets meer te maken hebben. Ik denk hier veel over na en elke keer opnieuw dringt het tot me door dat ik pappa's vroegere manier van doen meer en meer ga begrijpen. Want als jij je toentertijd tegen hem net zo liefdeloos gedroeg als je nu doet ten opzichte van Inge en mij, kan ik er begrip voor opbrengen dat pap troost zocht bij een andere vrouw. Met alle voor hem noodlottige gevolgen van dien..."

„Jouw vader heeft destijds een eind aan zijn leven gemaakt, daar hoef je niet omheen te draaien! Maar daar draag ik geen schuld aan, hoor Klaartje! Ik wil het er verder ook niet over hebben, ik heb allang spijt dát ik je gebeld heb. Dergelijke gesprekken vermoeien me enorm, ik krijg nu ook weer spontaan hoofdpijn."

Toos had de verbinding zonder meer verbroken, en Klaartje had cynisch gedacht: als je geweten knaagt, mam, is het krijgen van hoofdpijn daar een voortvloeisel van. Bart had haar erop gewezen dat ze dit telefoongesprek voor Koen geheim moest houden, maar dat had hij niet aan haar hoeven zeggen. Alles te weten maakt niet gelukkig en zo wist ook niemand dat zij na het gesprek met haar moeder in een verdrietige huilbui was uitgebarsten. Die echter niet lang had geduurd, Barts liefde had ervoor gezorgd dat haar tranen snel weer werden gedroogd. Vanwege dat lieve van Bart had Klaartje mogen ervaren hoe groot het verschil is tussen een groot, vol hart dat er altijd was voor haar en een dat koud en leeg was. Ze had er de nodige kracht uit weten te putten en zodoende had zij op de trouwdag van Koen en Louwina geen traan hoeven laten om de afwezigheid van haar moeder. Tijdens de receptie en omringd door vele dierbaren, had Koen veelbetekenend gezegd: „Ik voel me momenteel een man die te gelukkig is. Ik mis niets, is dat feit op zich dan niet te veel van het goede?"

Louwina had tijdens de plechtigheid in de kerk wel een paar keer haar zakdoekje moeten gebruiken. Iedereen vond dat een bruidje in stille tranen alleen maar vertedering opriep, Louwina had later alleen Koen toevertrouwd dat haar gedachten eventjes naar een man waren gedwaald die ver weg in een cel zat opgesloten. „Ik schoot vol toen ik bedacht wat er van mijn leven was geworden als ik bij Anton was gebleven. Ik zou het geluk dan niet gekend hebben, Carmen zou als een bang vogeltje zijn opgegroeid. Het is goed zoals het gegaan is, maar toch..." Na een zucht had ze gezegd wat ze zeggen wilde. „Toch mag er, wat mij betreft, wel een eind komen aan zijn straf. Nu ik zelf zo gelukkig mocht worden, wens ik Anton ook een beetje meer dan wat hij nu heeft. En zo denk ik ook over Clemens Douma. Voor hem, maar ook zeker voor Jelmer en Annelies, kunnen we niet genoeg bidden, hoor Koen!"

Daar was hij het mee eens geweest, iedereen dacht er trouwens zo over, want het was Jelmer en Annelies nog steeds aan te zien dat ze een te zware last met zich mee zeulden. Zij misten hun enige zoon, die als crimineel te boek stond, maar hij was en bleef hun kind.

Op de trouwdag van Koen en Louwina was er aan de buitenkant niets aan Jelmer en Annelies te zien geweest. Ze hadden zich ongedwongen tussen de mensen begeven, ze hadden zich aangetrokken gevoeld tot Claudia en Wiebe. Tussen hun viertjes had het opvallend goed geklikt, ze waren niet uitgepraat geraakt en op het eind van de dag werden er afspraken gemaakt. Ondertussen waren Claudia en Wiebe al eens te gast geweest bij de Douma's en zij op hun beurt hadden het Friese dorp al een paar keer opgezocht. Zo waren er opnieuw vriendschappen ontstaan die vooral Jelmer en Annelies goeddeden. In hun zorgen om Clemens konden zij wel wat afleiding gebruiken, maar dat hingen ze liever niet aan de grote klok. Tijdens de receptie had Annelies zich wel vrij uitgesproken over iets anders. Ze had een praatje staan maken met Wout en Marjet en op een gegeven moment had ze lachend opgemerkt: „Jullie hebben het mooi voor elkaar, ik kan niet anders zeggen, maar al met al heb je wel een streep gehaald door mijn rekening!" Op nietbegrijpende blikken had ze uitleg gegeven. „Ver van tevoren hadden Louwina en ik al samen bekonkeld dat als zij na haar trouwen met Koen in de stad ging wonen, ik een paar morgens in de week bij jou zou komen om je te helpen met het zwaardere werk. Een extraatje bijverdienen leek mij niet verkeerd, maar dat gaat nu dus aan mijn neus voorbij!" Op Marjets bedenkelijke gezicht had ze zich gehaast te zeggen: „Kijk niet zo, ik plaag je alleen maar wat! Wij kunnen ons redden en mocht de nood aan de man komen dan zijn er wel andere grote huizen waar een paar extra handen nodig zijn!"

Marjet had op dat laatste bevestigend gereageerd, maar ze had haar gedachten wijselijk verzwegen: je weet maar nooit hoe hard Louwina jou of iemand anders nog eens nodig kan hebben. De angst over wat er met haar zou kunnen gebeuren wilde Marjet niet verlaten, toch had ze zich op Louwina's trouwdag bijzonder goed gevoeld. In de tijd die daarop volgde had ze meer dan eens op zichzelf gefoeterd: je maakt jezelf telkens zo bang dat je er hondsmoe van wordt, in werkelijkheid is er niks met je aan de hand! Daar leek het ook op, tot vanochtend. Wout was al opgestaan, zij lag nog in bed en zoals ze gewend was te doen, zo had ze haar borsten afgetast op een knobbeltje of een andere oneffenheid. Net als al die ontelbare vorige keren had ze tot haar opluchting niets gevoeld dat er niet thuishoorde, totdat ze aan de binnenkant van haar bovenarm, vlak bij haar oksel, een kuiltje voelde waar ze gemakkelijk een top van haar vinger in kon leggen. Ze was verschrikkelijk geschrokken, voor de spiegel boven de wastafel had ze gezien dat het een vreemd, donker uitziend kuiltje was, met eromheen een vurig, rood randje. Wat betekende dit, waarom zat dat gekke ding daar opeens? Juist nu zij zich zo goed voelde. Kanker, een gemene, sluipende ziekte. Dat en veel meer was er door haar hoofd geflitst. Toen ze zich weer een beetje hersteld had had ze bedacht dat ze het niet meteen aan Wout mocht vertellen. Natuurlijk zou ze er maandag meteen mee naar de dokter gaan en vanzelfsprekend zou ze Wout vanavond als ze alleen waren, laten zien waar zij zich bang om maakte, maar niet dadelijk. Niet op deze zondag die bovendien een mooie lentedag beloofde te worden, want de zon scheen nu al volop door een kier van het gordijn naar binnen. Het was een vaste gewoonte geworden dat Koen en Louwina op zondag niet in hun eigen vertrekken bleven, maar dat ze gezellig naar beneden kwamen om samen koffie te drinken. Gisteravond, vlak voordat ze naar bed gingen, had Louwina gezegd dat Koen en zij iets wilden vragen, maar dat ze het vergeten waren. „Nu is het te laat, morgenochtend tijdens de koffie komen we ermee op de proppen!" Om haar mond had een geheimzinnig lachje gespeeld en dat had haar verteld dat Louwina zwanger was. Natuurlijk was het slechts een voorgevoel van haar, maar dat was zo sterk dat zij er niet meer aan twijfelde. Ze had er geen idee van wat Koen en Louwina aan haar en Wout wilden vragen, ze voelde enkel klaar en duidelijk aan dat er straks een en al blijdschap zou zijn. Die zij niet wilde noch mocht verstoren en daarom moest ze haar mond houden en proberen niet aan dat gekke kuiltje te denken dat zomaar ergens in haar lichaam was gevallen. Wat zou Louwina te vertellen hebben! Bij dit denken zweemde er toch weer een lachje om Marjets mond en was ze bij voorbaat blij met het geluk van een ander.

Een paar uur later wenste Marjet Gijs en Jorden veel plezier. Zij gingen naar een georganiseerde jongerendag die gehouden werd in een gebouwtje naast de kerk met als thema: Geloof je of geloof je het wel. „Denk erom dat je je gedraagt en let goed op, want je kunt er iets van opsteken!" Gijs en Jorden beloofden haast plechtig dat mam en pap geen klagen over hen zouden hebben, onderweg beloofden ze elkaar grinnikend dat ze toch heus ook een beetje keet gingen schoppen.

Ze zaten in de huiskamer, de schuifdeuren stonden wijd open en zo konden ze zien dat Marieke en Carmen zich samen in de tuin prima vermaakten. Louwina had koffie ingeschonken en plakjes koek geserveerd. Ze zat er nauwelijks weer bij toen Marjet haar aanspoorde: „Jullie moesten ons iets vragen, kom ermee voor de dag voordat het weer avond en te laat is!"

Wout en Koen lachten om Marjets ongeduld, Louwina richtte zich tot haar. Er verschenen blosjes van opwinding op haar wangen toen ze zei: „Het is misschien wel brutaal van Koen en mij, maar... Nou ja, wij hebben gewoon meer ruimte nodig. Wij willen het kleine logeerkamertje er graag bij hebben, want..." Verder kwam ze niet, want Marjet onderbrak haar. Dat ze haar eigen sores eventjes vergat was te horen aan haar juichende stem. „Jij bent zwanger, jullie verwachten een kindje! Dat voelde ik gisteravond al aan! O, jongens, wat heerlijk, wat ben ik hier blij mee!" Ze temperde haar enthousiasme met een vraag: „Het is toch zo, zeg nou niet dat ik me vergis...?"

Louwina straalde. „Nee, het is waar! Het is nog heel in het begin, maar er is geen twijfel meer mogelijk. We zijn er dolgelukkig mee, hè Koen?"

„Reken maar!" Hierna keerde hij zich naar Marjet. „De vraag over het logeerkamertje komt bij mij op de tweede plaats, ik moet eerst weten of het voor jullie niet te druk wordt met zo'n kleintje erbij?"

Wout schudde misprijzend zijn hoofd. „Hoe durf je het vragen, je kent mijn standpunt toch! Hoe meer zielen hoe meer vreugd. Het lijkt mij geweldig dat het leegstaande kamertje omgetoverd gaat worden tot babykamer. Gefeliciteerd jongens, jullie hebben me er blij mee gemaakt. En Marjet ook, want zie maar, er rolt een traan van stil geluk over haar wang!"

Het was echter een angsttraan die op Marjets wang lag te glinsteren. En terwijl ze die met de muis van haar hand wegveegde deed die haar bedenken: ik heb te lang gezwegen. Vooral voor Wout. Hij had moeten weten dat ik me soms zo hondsmoe voel, hij moet met eigen ogen zien dat er opnieuw iets op mijn lichaam zit dat er niet thuishoort. Waarom moet ik zijn optimisme over mij temperen en hoe vertel ik hem en de anderen wat mij nu opeens weer zo bang maakt? Erg evengoed, vond ze, dat ik over de blijde gezichten om me heen een schaduw van nieuwe zorgen zal moeten leggen. Terechte zorgen...? Had ze opnieuw kanker gekregen waar ze ditmaal aan dood zou gaan? Dat kon toch niet waar zijn? Haar kinderen hadden haar nog zo hard nodig en ondanks dat hij niet alleen in het huis zou zijn, zou Wout zich eenzaam voelen zonder haar. En zij, ze wilde niet weg bij haar lieverds, ze wilde nog zo graag een tijd blijven leven. Ze wilde nog zoveel, een lieve wens was dat ze het kindje van Louwina welkom mocht heten op de wereld, ze wilde de baby vasthouden en liefhebben. Als God haar genadig was, zou ze dan net als de vorige keer, opnieuw genezen? Nu voorgoed? Ze geloofde onvoorwaardelijk in Hem, toch durfde ze zichzelf niet gerust te stellen. Ze was alleen maar heel erg bang. Ze wist immers niet wat haar boven het hoofd hing, niet of ze blijven mocht of gaan moest. Hier slaakte Marjet een onhoorbare zucht en op hetzelfde moment zag ze dat Wouts blik strak op haar gericht was. Zijn ogen lachten haar nu niet onbekommerd tegen, ze stonden bezorgd. Marjet wist hoe goed hij haar kende en dat Wout nu van haar gezicht af had gelezen dat er iets met haar aan de hand was. In een poging hem vooralsnog gerust te stellen wilde ze hem een dapper lachje toezenden. Dat werd echter niet meer dan een bibbertje. Vol onzekerheid.